Geraldo Pieroni
Alexandre Martins e

𝕭𝖔𝖈𝖆 𝕸𝖆𝖑𝖉𝖎𝖙𝖆

Blasfêmias e sacrilégios em Portugal
e no Brasil nos tempos da Inquisição

PACO EDITORIAL

P613 Pieroni, Geraldo
   Boca Maldita: blasfêmias e sacrilégios em Portugal e no Brasil nos
tempos da Inquisição/Geraldo Pieroni. Jundiaí, Paco Editorial: 2012.

160 p. Inclui bibliografia. Vários autores.

ISBN: 978-85-8148-010-7

1. Inquisição 2. Blasfêmia 3. Brasil 4. Portugal. I. Pieroni, Geraldo.

CDD: 209

Índices para catálogo sistemático:
1. História do pensamento cristão   209
2. História religiosa do Brasil   278.1
3. Moral e prática religiosa   240

IMPRESSO NO BRASIL
PRINTED IN BRAZIL
Foi feito Depósito Legal

PACO ρ EDITORIAL

Rua 23 de Maio, 550
Vianelo - Jundiaí-SP - 13207-070
11 4521-6315 | 2449-0740
contato@editorialpaco.com.br

À Kátia de Queirós Mattoso (1932-2011), *in memoriam*, orientadora e amiga durante o meu doutoramento na Sorbonne (Paris IV). São suas estas palavras de incentivo: "Ao estudar de maneira tão notável este grupo de pecadores da Inquisição, pelo qual os historiadores do Santo Ofício tinham até agora pouco se interessado, Geraldo Pieroni soube inovar. Seu trabalho é profundamente honesto e rigoroso e sua cronologia é excelente. Ele nos ajuda a compreender a fé dos clérigos, como também a fé dos que são levados diante de seus tribunais. Ele nos fornece o estudo de um grupo pouco analisado e descrito de maneira aprofundada." A ela dedico este livro.
(Geraldo Pieroni)

À Mikhael Nayef El Sabeh, *in memoriam*, por todos os ensinamentos e amor que nos deixou.
(Luiz Antonio Sabeh).

Às verdadeiras amizades que dão sentido à minha existência.
(Alexandre Ribeiro Martins)

AGRADECIMENTOS

À Universidade Tuiuti do Paraná, pelo incentivo à pesquisa e as bolsas de estudos de Iniciação Científica concedidas a Luiz Sabeh e Alexandre Martins.
(Geraldo Pieroni)

Aos meus familiares, amigos e à Silvia, minha esposa, pela compreensão e auxílio incessantes em nossos projetos de vida e sonhos em comum. Sou grato, também, pela valiosa orientação e amizade de meus lentes, Geraldo Pieroni, Andréa Doré e Maria Luiza Andreazza, mestres a quem credito meu crescimento profissional e pessoal. Meus agradecimentos são extensivos aos professores da UTP e da UFPR que participaram da minha formação.
(Luiz Antonio Sabeh)

Aos meus pais, Elirberto e Elvira, pela ternura da amizade, e à minha irmã, Elizabeth, pela inspiradora coragem e alegria de viver. Estendo meus agradecimentos ao professor e amigo Geraldo Pieroni, pelos ensinamentos que transcenderam o academicismo, e aos demais professores que contribuíram para minha formação humana.
(Alexandre Ribeiro Martins)

Sumário

Fontes

Lista de Siglas e Abreviaturas

Siglas

IAN/TT: Instituto de Arquivos Nacionais/Torre do Tombo (Portugal)
BNL: Biblioteca Nacional de Lisboa (Lisboa)

Abreviaturas

– **ANMC**: NAVARRO, Martin de Azpilcueta. Manual de confessores e penitentes, em ho qual breve e particular e muy verdadeiramente se decidem, e declaram quasi todas as dúvidas, e casos, que nas confissões soem ocorrer acerca dos pecados, absolviçóes, e censuras. Composto por hum religioso da ordem de Sam Francisco da província da Piedade; foy vista e examinada e aprovada a presente obra por o Doutor Navarro cathedrático de prima e cânones na Universidade de Coimbra, 1549.

– **CBSO**: VAINFAS, Ronaldo (org.). Confissões da Bahia: Santo Ofício da Inquisição de Lisboa. São Paulo: Companhia das Letras, 1997.

– **CPAB**: CONSTITUIÇOENS Primeyras do Arcebispado da Bahia. Feytas e ordenadas pelo illustríssimo e reverendíssimo senhor d. Sebastião Monteiro da Vide, arcebispo do dito arcebispado, do Conselho de Sua Majestade, proposta e aceytas em Sínodo Diocesano que o dito senhor celebrou em 12 de junho de 1707. Lisboa Occidental: Officina de Pascoal da Sylva, impressor de Sua Majestade, MDCCXIX.

– **DCTI**: APOSTOLADO Veritatis Splendor. Documentos do Concílio Ecumênico de Trento. 1º Período (1545-1547). Direção de Carlos Martins Nabeto e tradução de Dercio Antonio Paganini. Disponível em http://www.veritatis.com.br. Acesso em 09/04/2007. (Compreende os documentos: Bula Convocatória do Concílio; Sessão I a X).

- **DCTII**: APOSTOLADO Veritatis Splendor. Documentos do Concílio Ecumênico de Trento. 2º Período (1551-1552). Direção de Carlos Martins Nabeto e tradução de Dercio Antonio Paganini. Disponível em http://www.veritatis.com.br. Acesso em 09/04/2007. (Compreende os documentos: Bula de Reinstalação do Concílio; Sessão XI a XVI).

- **MNCB**: NÓBREGA, Manoel da (1517-1570). Cartas do Brasil, 1549-1560. Belo Horizonte: Itatiaia; São Paulo: Editora da Universidade de São Paulo, 1988.

- **PVCB**: PRIMEIRA Visitação do Santo Ofício às partes do Brasil pelo licenciado Heitor Furtado de Mendonça. Confissões da Bahia: 1591-1592. Prefácio de Capistrano de Abreu. Rio de Janeiro: F. Briguiet, 1935.

- **PVDB**: PRIMEIRA Visitação do Santo Ofício às partes do Brasil pelo licenciado Heitor Furtado de Mendonça. Denunciações da Bahia: 1591-1593. Introdução de Capistrano de Abreu. São Paulo: Paulo Prado, 1925.

- **PVDP**: PRIMEIRA Visitação do Santo Ofício às partes do Brasil pelo licenciado Heitor Furtado de Mendonça. Denunciações de Pernambuco: 1593-1595. Introdução de Rodolfo Garcia. São Paulo: Paulo Prado, 1929.

- **RSOI**: REGIMENTO do Santo Ofício da Inquisição dos reynos de Portugal recompilados por mandado do ilustríssimo e reverendíssimo senhor d. Pedro de Castilho, bispo e inquisidor-geral e visorey dos reynos de Portugal. Impresso na Inquisição de Lisboa por Pedro Grasbeeck, ano da encarnação do Senhor de 1613. (Microfilme da Biblioteca Nacional de Lisboa, Sala Geral).

- **SVDB**: SEGUNDA Visitação do Santo Ofício às partes do Brasil. Denunciações da Bahia: 1618. Introdução de Rodolfo Garcia. Anais da Biblioteca Nacional do Rio de Janeiro, v. 49, 1927.

- **VEGP**: LAPA, José Roberto do Amaral (org.). Livro da Visitação do Santo Ofício da Inquisição ao Estado do Grão-Pará (1763-1769). Petrópolis: Vozes, 1978.

Introdução

A dimensão de Povo Eleito, pertencente à milenar tradição judaico-cristã, foi reativada pelos portugueses na época da formação de seu Estado monárquico. O mito veterotestamentário foi reencarnado pelo novo povo escolhido por Deus para proteger e difundir a fé. Enquanto Estado mensageiro das verdades divinas, o rei se empenhava em combater os hereges e a converter os infiéis. O corpo político revelava-se possuidor de uma mistificação dogmática que o tornava indiscutível e eterno. O monarca incorporava a *persona mixta* que combinava elementos temporais e espirituais[1].

Defendida pelo rei, a religião fervorosa penetrava e, ao mesmo tempo, ditava as normas da vida individual e coletiva dos ibéricos. Comuns eram as expressões de religiosidade manifestadas por inúmeras cerimônias e peregrinações. Deus era glorificado; Jesus Cristo, adorado; a Virgem Maria, venerada; santos invocados nas centenas de igrejas e capelas a eles consagradas.

O Santo Ofício, zeloso, encarregava-se de manter a pureza da religião e de salvaguardar cânones e dogmas que sustentavam a magnitude da Igreja. Os inquisidores estavam vigilantes e, em nome da verdadeira doutrina, campeavam os comportamentos desviantes desse povo, destinado por Deus a expandir a fé católica.

Mesmo diante da ostentação jurídica que caracterizava o Santo Ofício, a população lusitana tinha os seus momentos de desvios doutrinais, desregramentos, tentações pecaminosas e impulsos rancorosos contra as rígidas leis do Estado e da Igreja.

Crimes e deslizes eram controlados pelas *Ordenações* do Reino e pelos *Regimentos Inquisitoriais*. Trono e Altar primavam pelo cumprimento das normas: "aquele que violenta a lei será violentado por ela"[2].

---

[1]Sobre a questão ver as diferentes passagens de Ernest KANTOROWICZ. *Os dois corpos do rei: um estudo sobre teologia política medieval.*
[2]Louis SALA-MOLINS (dir.). *Le Dictionnaire des inquisiteurs (Valence, 1494)*, p. 284.

Em nome de Deus, o Estado absolutista português, por sua própria natureza, tinha o direito de punir os delinquentes: o *jus puniendi*. O seu fim último era a conservação dos súditos, desde que fossem obedientes e bons católicos. Caso contrário, medidas punitivas seriam aplicadas para corrigir as heterodoxias. A violação da ordem correspondia a uma sanção, não por simples determinação positiva[3], mas por dever de justiça. A correção do apenado, por meio de medidas coercitivas, buscava o restabelecimento da ordem social, a resposta coativa pelo mal cometido.

A Igreja, também ela, por sua qualidade jurídica alicerçada no Código de Direito Canônico, possuía jurisprudência própria e podia castigar com sanções diversas os fiéis delituosos. Não assumia a Igreja o lugar do Estado, nem com ele rivalizava. Cada qual tinha o seu papel, sua competência e sua esfera de atuação, havendo liberdade em suas matérias próprias[4]. A Inquisição era um tribunal eclesiástico que atuava em parceria com o Estado. No caso de Portugal, muitos crimes foram intitulados como sendo de *mixti fori*, ou seja, possuíam alçadas oriundas do Estado e da Igreja. Francisco Bethencourt esclarece que

> na Península Ibérica ela acaba por ter uma jurisdição mista e é absorvida pelos organismos das monarquias de Castela e de Portugal porque os reis propõem o inquisidor-geral. Nestes reinos, a Inquisição consegue perpetuar-se, porque joga com essa dupla fidelidade.[5]

Tratava-se de um *Tribunal assistido*. Sob este título, Jean-Louis Biget demonstra que a Inquisição não podia deixar de

---

[3] O Direito positivo é o conjunto de normas reconhecidas e aplicadas pelo poder público, cujo objetivo é regular a convivência social humana.
[4] Sobre a questão, ver João PAULO II. *Código de Direito Canônico.* .
[5] Francisco BETHENCOURT. Inquisição: a multinacional da tortura. *Judaica.* nº 40. Agosto/2000. Entrevista. Disponível em http://www.judaica.com.br/ materias/040_03a06.htm. Acesso em 10/07/2009.

estar vinculada aos interesses políticos. Segundo o historiador, nada na Idade Média (e posteriormente) era meramente leigo ou profano, dado o regime de cristandade:

> A Inquisição é sempre considerada uma instituição da Igreja. Isto está certo, mas convém enfatizar uma realidade fundamental, evidente, mas freqüentemente esquecida, a saber: a Inquisição só podia atuar associada aos poderes leigos (...). Ela só podia incutir temor, se contasse com o apoio dos príncipes e dos governos.[6]

Essa conivência funcionava como um dever de Estado por parte dos detentores do poder temporal. De acordo com Estevão Bettencourt, esta colaboração era mais fácil na medida do interesse dos governantes na confiscação dos bens dos condenados, que redundavam em favor do Estado em troca do sustento ministrado aos inquisidores – sustento este que criava uma forte dependência dos inquisidores em relação ao poder civil. Na verdade, os gastos com os inquisidores eram elevados, como demonstram as prestações de contas que foram conservadas. Enfim, é certo que a erradicação dos comportamentos indesejados e o reforço da unidade da Igreja e de unidade da fé serviu à unidade política numa época em que o vínculo religioso era a única garantia da coesão das populações.[7]

Com a Contrarreforma e a expansão do catolicismo no além--mar, o Brasil passou a constituir território catequizador capaz de gerar almas neófitas para o rebanho de Cristo. A fé semeada pela evangelização dos primeiros missionários jesuítas norteou os comportamentos espirituais e morais da Colônia, desde os

---

[6]Jean-Louis BIGET. L'inquisition en Languedoc (1229-1329). *In:* Agostino BOR-ROMEU (a cura di). *L'Inquisizione*. Atti del Simposio internazionale (Città del Vaticano, 29-31 ottbre 1998), p. 75.

[7]Estevão OSB BETTENCOURT. Comentários sobre o Simpósio Internacional sobre a temática da Inquisição, realizado em Roma de 29 a 31 de outubro de 1998. *Revista Pergunte e Responderemos Online.* n. 523, 2006. Disponível em http://pr.veritatis.com.br/. Acesso em 29/08/2009, p. 34.

senhores de engenho até os índios cristianizados e africanos escravizados. Além do mais, o Brasil era considerado terra de banimento para os criminosos do Reino. Conforme afirma Teodoro Sampaio, para não se "perder de vista que era esta uma terra de degredo, com uma sociedade transplantada a regenerar-se"[8]. Assim sendo, a ortodoxia da fé foi observada através de visitações do Santo Ofício da Inquisição às partes do Brasil, como veremos no decorrer deste livro.

Em meio aos vários crimes de heresia citados nas atas inquisitoriais das Visitações, a blasfêmia se destaca significativamente por estar inserida em um campo de valoração que, na história do povo de Deus, é digno de atenção: está presente desde o primeiro ao último livro da Bíblia, sempre acompanhado de severa proibição.

Boca Maldita: blasfêmias e sacrilégios em Portugal e no Brasil nos tempos da Inquisição, título deste nosso livro, é um estudo sobre o pecado da blasfêmia e das profanações contra o catolicismo. As atenuantes dos comportamentos blasfematórios e das profanações dos confessionários são, atualmente, quase exclusivamente empreendidas pela Teologia, que interpreta estes comportamentos sob a lente de ideais testamentários, neotestamentários e patrísticos[9] ou por meio de produções de cunho exegético, pastoral ou doutrinal.

Uma análise do ponto de vista histórico acerca destes pecados explora um campo ainda visto com parcimônia pela história cultural brasileira, apontando um indicador de sentido pouco estudado, capaz de revelar uma face inexplorada da identidade colonial.

A primeira parte deste livro é dedicada às blasfêmias, normalmente expressas por palavras irreverentes, mas também manifestadas por atos e gestos desrespeitosos que ofendiam profundamente os dignitários da Igreja.

---

[8]Teodoro SAMPAIO, *História da fundação da cidade do Salvador*, p. 210.

[9]A Patrística, situada entre os séculos I e VIII, era uma filosofia cristã representada por grandes nomes, como Santo Agostinho e Clemente de Alexandria, dentre outros, chamados de Padres da Igreja.

14

Na segunda parte, dando continuidade aos aspectos blasfematórios e sacrílegos cometidos no mundo português, de aquém
e de além-mar, nos ocuparemos da profanação do confessionário.
Alguns padres confessores foram muito além de suas obrigações
de emissários do perdão e desfrutaram da confissão sacramental
para tirar proveito libidinoso de seus penitentes.

Em março de 2008, foi publicada uma notícia relatando que
o Vaticano havia criado um curso de atualização do clero italiano
para a realização da confissão. O bispo do Tribunal Apostólico de
Confissões e Penitências admitiu que o sacramento em questão
encontrava-se em um grave estado de dificuldade, em função da
drástica queda do número de católicos que vai ao confessionário.
Os fiéis ouvidos em uma pesquisa local afirmaram que não sen-
tiam a necessidade de um clérigo para a confissão, pois, além de
acreditarem que a presença de um padre impede o diálogo direto
com Deus, muitos manifestaram a dificuldade de falar dos seus
pecados para outra pessoa.[10]

Embora a questão do confessionário abordada na reportagem
seja relativa ao clero italiano, a situação retratada não é um caso
atípico, muito menos isolado. É um problema que pessoas de
diversas nacionalidades podem atribuir aos seus espaços, principalmente naqueles países onde a Igreja Católica perde adeptos
para outras religiões cristãs, e até mesmo para as religiões orien-
tais. Assim sendo, que problemas são revelados com a situação do
sacramento da confissão?

Ao se realizar uma investigação historiográfica sobre a questão, fica evidente que, em outros períodos da história, a Igreja
romana também enfrentou o enigma do confessionário. Entretanto, ela contava com um mecanismo que, atrelado ao Estado,
tinha o poder tanto de trazer seu rebanho à ortodoxia da fé como

---

[10]Christian FRASER. Vaticano cria curso para atualizar padres em confissões. *BB-
CBrasil.com*. 06/03/2008. Disponível em http://www.bbc.co.uk/portuguese/re-
porterbbc/story/2008/03/080306_vaticanocursofn.shtml. Acesso em 07/03/2008.

o de ajustar o clero para exercer o papel que lhe cabia: intermediar a salvação das almas.

Em 1536, o funcionamento da Inquisição em Portugal foi autorizado com o mesmo intuito de manter a ordem religiosa e social por meio da correção de delinquentes e pecadores. Nesse reino, a Inquisição passou a ser um novo braço da Justiça e, uma vez oficialmente instalada, desenvolveu-se a ponto de se tornar uma verdadeira burocracia, uma das mais importantes de Portugal. O Santo Ofício foi, inegavelmente, um "Estado dentro do Estado". É por essa razão que seus *Regimentos* estão de acordo com as *Ordenações* reais. A Igreja e a Monarquia estavam unidas na mesma luta contra os desvios sociais, políticos e religiosos.[11]

Essa conveniente associação entre a Monarquia e a Igreja mantinha a exclusividade católica na península, e o principal alvo dos inquisidores, tanto em Castela como em Portugal, foram os cristãos-novos. A vigilância contra os pecadores, recorrendo-se ao castigo e à catequização, caracterizou a atuação da Inquisição como uma instituição responsável por reintegrar à sociedade católica os seus dissidentes. Em Portugal

> o motivo essencial que justificava a punição daqueles que infringiam a lei divina era a salvação de suas almas, ainda que para isso fosse necessário excluí-los do corpo social.[12]

No reino lusitano, afora do controle dos cristãos-novos, os principais crimes de fé combatidos pela Inquisição foram a bigamia, a sodomia, a feitiçaria e, também o menos conhecido crime relacionado à profanação do confessionário: *Sollicitatio ad turpiam*. Delito grave que ocorria quando, no momento da confissão, um padre solicitava ao confessando que praticasse com ele

[11]Geraldo PIERONI *Os excluídos do Reino*: a Inquisição portuguesa e o degredo para o Brasil Colônia, p. 13. A expressão "Estado dentro do Estado" é de A. H. Oliveira MARQUES. *Histoire du Portugal des origines à nos jours*, p. 209.
[12]Geraldo PIERONI. *Os excluídos do Reino*, p. 12.

atos obscenos. Denunciado ao Santo Ofício, o sacerdote poderia ser punido com o banimento para os domínios lusos do além--mar, e entre eles figurava o Brasil.

O ato confessional, cujo poder de culpabilização da consciência e dos comportamentos individuais foi desvelado por Jean Delumeau, em seu clássico *A confissão e o perdão*. Na obra, o historiador demonstra que os ensinamentos advindos da penitência rompiam os muros das igrejas e atingiam o comportamento humano em todas as suas dimensões e nuanças[13]. Isso nos leva a entender que, embora o delito revele que o ardil do confessionário seja histórico, estabelecer qualquer relação da questão com os problemas contemporâneos da confissão exige, antes de tudo, a busca de sua historicidade: compreender as razões pelas quais a *Sollicitatio ad turpiam*, na época Moderna, suscitou a manifestação da Santa Sé.

---

[13]Ver diferentes passagens de Jean DELUMEAU. *L'aveu et le pardon. Les difficultés de la confession*, XIIIe-XVIIIe siècle.

BLASFÊMIAS E SACRILÉGIOS

Capítulo 1

Mirabilis lusitana e religiosidade colonial

Na mesma medida em que o descobrimento da América apontava para um grande feito do homem europeu, que se tornava matematicamente capaz de desbravar grandes mares com uma relativa precisão, multidões se dedicavam na Corte com o magismo e com o maravilhoso – *mirabilis*, segundo Le Goff[1] – em práticas cotidianas de um povo comum e religioso.

Arautos do Evangelho, os lusitanos compreendiam a monarquia como um reflexo do reino celestial, e por isso, por meio da Inquisição, defendiam e difundiam a fé católica respondendo de forma esforçada a uma vocação divina.

O Concílio de Trento, entre 1543 e 1563, elaborou uma série de decisões doutrinais e de decretos disciplinares que se concentraram, principalmente, sobre dois eixos: a precisão dogmática e a preocupação pastoral, desassossego com a fé do povo, por sua educação religio-

---

[1]Esta expressão foi publicada em Jacques LE GOFF. *O maravilhoso e o quotidiano no Ocidente Medieval.*

sa[2]. A Inquisição do Santo Ofício, criada antes das decisões do Concílio, irá ocupar-se, com o rei, desta missão. Neste sentido, Portugal foi tridentino antes do próprio Concílio de Trento. A figura do rei era concebida como alguém revestido de autoridade dada diretamente por Deus. Kantorowicz nos faz compreender a representação do rei medieval, apontando o seu duplo aspecto, dividido entre a sua existência pública e pessoal. No que tange a vida particular do rei, o autor sustenta, numa primeira instância, a ideia de um homem normal, participante das efemeridades humanas, repletas de defeitos e infantilidades. Mas quando se refere ao aspecto público e político, num segundo momento, o rei tem sua imagem transformada de maneira mística e dogmática, tornando-o eterno. Logo, seus embates jurídicos, filosóficos e religiosos são indiscutíveis. Na época Moderna, o rei é o juiz supremo[3]. Pedro Moacyr Campos afirma que o monarca em Portugal

> tem seu poder das mãos de Deus, e seu vigário tenente é livre de toda a lei humana. A monarquia, portanto, é a mais importante instituição do Estado português; pelas suas relações com os outros órgãos administrativos e classes sociais é que poderemos ter uma idéia do panorama institucional predominantemente às vésperas da descoberta do Brasil.[4]

Foi por meio do estabelecimento do padroado que a Coroa portuguesa constituiu-se patrona das missões católicas e instituições eclesiásticas na África, Ásia e, depois da descoberta, no Brasil.[5]

---

[2]Ver Jean-Pierre DIDIEU. Le modèle religieux: Les disciplines du language et de l'action. *In*: Bartolomé BENNASSAR, *L'Inquisition Espagnole*, p. 238.

[3]Ernest KANTOROWICZ, *Os dois corpos do rei*: um estudo sobre teologia política medieval, p. 20.

[4]Pedro Moacyr CAMPOS. As instituições coloniais: antecedentes portugueses. *In*: Sérgio Buarque de HOLANDA, *História Geral da Civilização Brasileira*. A época colonial: do descobrimento à expansão territorial. v. I. Tomo I., p. 22.

[5]Ver Laura de Mello e SOUZA, *O diabo e a Terra de Santa Cruz*: feitiçaria e religiosidade no Brasil colonial, p. 86.

Uma das respostas concretas ao chamamento de Deus, discernido pelos cristãos ibéricos ao padroado, se daria por meio das navegações, que, além do aspecto religioso, conotava uma busca de expansão comercial engendrada por fatores políticos diversos. Arno e Maria José Wheling, reportando-se aos motivacionais que impeliram os lusitanos a empreitadas marítimas, partem do pressuposto de que é inútil procurar exclusividades, contudo destacam primeiramente os fatores econômicos, afirmando:

> A escassez de ouro na Europa do século XV e sua conseqüente valorização estimularam a busca do ouro africano. Os estabelecimentos pesqueiros controlados pelo rei, pela nobreza e por comerciantes tenderam a expandirem-se, beneficiados pelo aumento do consumo. A permanente falta de cereais, sobretudo de trigo, motivou a conquista de Ceuta em 1415, e mais tarde, a colonização de colônias naquelas ilhas. Produtos africanos, como couros e tinturas, além de escravos, eram igualmente valorizados na Europa.[6]

O cenário político, para os autores, certamente favoreceu a expansão das navegações, num contexto de

> consolidação da dinastia de Avis no poder, o emprego da experiência militar da nobreza, a concorrência do reino de Castela e a própria união, em 1469, de Castela e Aragão pelo casamento de Isabel e Fernando.[7]

O Império e os lucros somavam-se aos anseios religiosos inerentes da mentalidade portuguesa. Damião Góis (1502-1574), reportando-se à navegação, é um exemplo clássico deste período:

> Nós também procuramos – e é lícito confessá-lo – auferir lucros e riquezas, sem os quais a Europa não poderia compensar as despesas enormes que todos os dias faze-

---

[6]Arno WHELING; Maria José C. M. WHELING. *Formação do Brasil Colônia*, p. 37.
[7]*idem*, p. 37.

mos. Merecemos, porém, louvores por não sulcarmos os mares, como outrora fizeram e ainda hoje fazem muitos povos da Itália, da Espanha e da França, quais inermes mercadores em busca só de especiarias, mas com exércitos e armadas, bem apanhadas contra o inimigo, não tanto para a dilatação do nosso Império, como para a expansão de nossas crenças.[8]

Dando ênfase à perspectiva religiosa, imprescindível ao próprio contexto social português, temos na Crônica do descobrimento e conquista da Guiné, de Zurara, a expressão máxima de um missionário luso comum ao seu tempo:

> A quinta razão [das que moveram o infame aos descobrimentos marítimos] foi o grande desejo que havia [o infame] de acrescentar em a santa fé de nosso senhor Jesus Cristo, e trazer a ela todas as almas que se quisessem salvar, conhecendo que todo o mistério da encarnação, morte e paixão de Nosso Senhor Jesus Cristo, foi obrado a este fim, scilicet, por salvação das almas perdidas, as quais o dito senhor queria, por seus trabalhos e despesas, trazer ao verdadeiro caminho.[9]

Uma vez descoberto o Novo Mundo e instaurado o processo de colonização, Pero de Góis escreveu ao monarca, em 1546, para reclamar do estado caótico em que se encontrava a *Terra Brasilis*:

> (...) tudo nasce da pouca justiça e pouco temor de Deus e de Vossa Alteza que em algumas partes desta terra se faz e há, por onde se, de Vossa Alteza não é provida perder-se-á todo o Brasil em dois anos.[10]

---

[8]Idem, p. 38.

[9]Laura de Mello e SOUZA. *O Inferno Atlântico:* demonologia e colonização – Séculos XVI-XVIII, p. 22.

[10]Idem, *O Inferno Atlântico:* demonologia e colonização – Séculos XVI-XVIII, p. 23.

Como se tivesse ouvido os apelos de Pero Góis, d. João III, três anos depois, envia ao Brasil Tomé de Sousa e os primeiros missionários jesuítas, esclarecendo que "(...) a principal coisa que me moveu a mandar povoar as ditas terras do Brasil, foi por que a gente delas se convertesse à nossa Santa Fé Católica"[11], e com isso, dando início a cristianização em terras tropicais.

Quando os padres da Companhia de Jesus chegaram ao Brasil, em 1549, o Concílio de Trento estava prestes a encerrar a sua primeira fase que, sucedida de outras duas etapas, constituiu o Concílio mais longo da história da Igreja. Conforme o entendimento de Jean Delumeau, foi então que se reafirmou a fé nos dogmas, como uma resposta à Reforma[12], e onde a Igreja posicionou--se, de acordo com Ronaldo Vainfas, como uma "cidade sitiada"[13].

Apesar de a tomada de posse ultramarina representar um trunfo meridional, o trópico não foi tratado de forma enfática pelo Concílio da Contrarreforma, já que "(...) o concílio foi ecumênico de direito, não de fato. Representou, sobretudo, a cristandade (...) da Europa"[14]. Não teve nem sequer "(...) um prelado colonial que assistisse às suas sessões"[15].

Conforme aponta Vainfas, vinculada aos ditames do Concílio de Trento, a Inquisição ibérica, após meados do século XVI, passando pela abordagem coercitiva, nos permite inseri-la num dos processos fundamentais da modernidade: a perseguição da cultura e moralidades populares pela Igreja católica e, nos países protestantes, pelas Igrejas reformadas, articuladas aos poderes civis[16.]

---

[11]REGIMENTO de Tomé de Sousa de 17 de dezembro de 1548. *In*: Inês Conceição INÁCIO; Tânia Regina de LUCA. *Documentos do Brasil Colonial*, p. 50.
[12]Jean DELUMEAU. *De religiões e de homens*, p. 241.
[13]Ronaldo VAINFAS. *A heresia dos índios: catolicismo e rebeldia no Brasil colonial*, p. 19.
[14]Jean DELUMEAU. Un Chemin d'Histoire, Chrétienté et Christianisation. *In*: Keith THOMAS. *Religião e Declínio da Magia*, p. 67.
[15]Charles BOXER. *O império marítimo português (1415-1825)*, p. 101.
[16]Ronaldo VAINFAS. A problemática das mentalidades e a Inquisição no Brasil colonial. *Revista de Estudos históricos*, v. 1, p. 173.

Em sua obra *A heresia dos índios*, Vainfas demonstra que os missionários jesuítas interpretaram alguns rituais ameríndios como práticas diabólicas. À guisa de exemplo tem-se as cerimônias religiosas tupis-guaranis realizadas pelos caraíbas, sacerdotes indígenas, que foram entendidas como "santidades", ou seja, manifestações demoníacas, réplicas do sabá europeu, idolatrias rebeldes e heréticas[17]. Salientam-se, desde as primeiras impressões dos missionários sobre os nativos, a repressão e o rigor no trato com os blasfemadores, considerando desde as origens à profissão de fé indígena como blasfematórias e irreverentes contra Deus.

A Igreja, enquanto instituição, não ficaria ociosa com relação a tal emergência, e tomou iniciativas para que, na Colônia, a fé fosse observada a partir dos mesmos padrões que regiam a Metrópole, incluindo, à medida do possível, os mesmos mecanismos inquisitoriais para que fossem implantados no Brasil.

---

[17]Ronaldo VAINFAS. *A heresia dos índios*: catolicismo e rebeldia no Brasil colonial, p. 39-69.

Capítulo 2

As visitações do Santo Ofício:
pecados brasileiros

Degredados para o Brasil por causa do cometimento do pecado da blasfêmia, vários cristãos ibéricos uniram-se aos colonos para representar uma parcela considerável de crentes distantes de qualquer tipo de vigilância e observação, devido à imensidade do território brasileiro e da ainda precária estruturação eclesiástica institucional na Colônia.

Preocupados com as heresias tropicais, os lusitanos enviaram diversos tipos de visitas e inquirições, em número maior do que se supunha[18]. Dentre elas, as quatro principais visitações do Santo Ofício da Santa Inquisição[19]: a primeira entre 1591-1595; a segunda entre 1618-1621; a terceira em 1627, pouco conhecida, realizada no Rio de Janeiro "para dar continuidade à ação do tribunal do Santo Ofício da Inquisição de Lisboa"[20]; e a quarta entre 1763-1769.

Sobre a visitação de 1627, Lina Gorenstein comenta que, no século XVII, além da conhecida Visitação de 1618, outras duas foram realizadas em Pernambuco e nas capitanias do sul. A novidade que Gorenstein apresenta reside no fato da comprovação de muitas denúncias colhidas nos Cadernos do Promotor da Inquisição de Lisboa depositados na Torre do Tombo, na

---

[18]Ver Anita NOVINSKY. A Igreja no Brasil colonial: agentes da Inquisição. *Anais do Museu Paulista*, p. 17-34.

[19]A Visitação da Bahia e Pernambuco (1591-1595); da Bahia (1618), do Rio de Janeiro (1627) e do Estado do Grão Pará (1763-1769).

[20]Lina GORENSTEIN. A terceira visitação do Santo Ofício às partes do Brasil (século XVII). *In*: Ronaldo VAINFAS; Bruno FEITLER; Lana LAGE. *A Inquisição em xeque*: temas, controvérsias, estudos de casos., p. 26.

capital portuguesa. O visitador de 1627 era o licenciado Luis Pires da Veiga que, além dos acusados de heresias, na maioria cristão-novos e sodomitas, encontrou alguns profanadores de imagens e blasfemadores: Sebastião de Freitas questionou a virgindade da Virgem Maria; João Pimentel, frade beneditino, em um banquete, batizou a carne como peixe; Aires Nunes de Ávila queimou um crucifixo em frente à sua roça, alegando ser aquilo madeira velha; o holandês calvinista Cornélio Arzão foi acusado de blasfemo e sacrílego[21].

Desta visitação de 1627 não existem os "livros" como nas demais visitações, ao menos para a parte da visita ao Rio de Janeiro. A documentação foi perdida em um naufrágio. O navio no qual viajava a cristã-nova Isabel Mendes, que seria julgada em Lisboa, foi abatido pelos holandeses. A prisioneira conseguiu chegar até a ilha de São Miguel, onde se apresentou ao Santo Ofício local. Enviada para Lisboa foi considerada insana e deixada nos cárceres da Inquisição; padeceu torturas e saiu no auto de fé do dia 2 de abril de 1634, sendo condenada a cárcere e hábito penitencial. Daí em adiante, nada mais sabemos sobre ela[22].

Sônia Siqueira, referindo-se às denúncias relatadas nas visitações da Bahia e Pernambuco, comenta que a blasfêmia na Colônia foi um dos principais alvos da observância inquisitorial:

[nas] visitações, centenas de confissões e de denúncias foram consignadas por escrito e, em meio aos acusados, encontramos muitos blasfemadores. Nas visitações à Bahia e a Pernambuco, 283 faltas foram confessadas, sendo que as que aparecem com mais freqüência são as blasfêmias. Contam-se 68 expressões insultantes que renegam a Deus, zombam dos santos ou coloca em dúvida

---

[21]Lina GORENSTEIN, *op. cit.*, p. 25-31.

[22]Lina GORENSTEIN. A terceira visitação do Santo Ofício às partes do Brasil (século XVII). *In*: Ronaldo VAINFAS; Bruno FEITLER; Lana LAGE. *A Inquisição em xeque*: temas, controvérsias, estudos de casos., 2006, p. 25-31.

a virgindade de Maria. Nas de denúncias da Bahia e de Pernambuco, entre as 950 coletadas, 90 são blasfêmias e 177 referem-se a desrespeito a Jesus Cristo, à Virgem, aos santos e aos sacramentos, além de 58 expressões que contêm palavras injuriosas. Um total de 325 casos que representam 34% dos crimes denunciados.[23]

Delumeau elucida que a blasfêmia é um dos pecados que, quando cometidos com frequência, indica um período de volubilidade psíquica[24]. E, como não poderia deixar de ser, no Brasil, o impacto da cultura europeia na evangelização, menosprezando a cultura tropical, enquadra o nativo no panorama da cultura dominante, exclusivamente cristã, fragilizando, assim, a estrutura fundamental autóctone.

Ao estudar o cristianismo dos séculos XVI e XVII, impregnado de blasfêmia, Delumeau chama a atenção para existência de uma religiosidade ilusória, marcada pela teatralidade da fé, esvaziada de seu sentido originário. Ele explicita que "injúrias e blasfêmias constituem, sem dúvida, um revelador de um determinado grupo social e de seus valores aceitos e rejeitados"[25].

Reportando a este revelador de valores sociais afirmado por Delumeau, de maneira complementar, encontramos em Roger Chartier a possibilidade de compreensão das identidades sociais nas relações impostas pelos controladores do poder, mas também pela atribuição de importância das representações que cada grupo estabelece.

Desta maneira, pudemos dar uma dedicada "atenção às estratégias simbólicas que determinam posições e relações e que constroem, para cada classe, grupo ou meio, um 'ser percebido' constitutivo

---

[23]Sônia A. SIQUEIRA. *A Inquisição portuguesa e a sociedade colonial.*, p. 227.
[24]Jean DELUMEAU. Présentation. *In*: Robert MUCHEMBLED. *Mentalités. Histoire des cultures et des sociétés*. Injures et blasphèmes, p. 09.
[25]Idem, p. 09-11.

de sua identidade"[26], efetivando representações. Assim, compreender o pecado da blasfêmia na América portuguesa é compreender um signo de pensamento teórico representativo que estabelece possibilidades de entendimento das modalidades variáveis que discriminam categorias de significados[27] próprios dos autóctones, negros africanos, mulatos brasileiros e brancos portugueses.

Para que se possa entender a blasfêmia, é obrigatório estabelecer vínculos com a legislação lusitana, estendida às suas possessões ultramarinas. As *Ordenações* fundamentavam o imaginário da evangelização e das missões empreendidas, que além de apontar o cometimento do pecado da heresia em sua instância religiosa, também significava diretamente um crime previsto pela constituição.

---

[26]Roger CHARTIER. À *beira da falésia*. A história entre incertezas e inquietudes., p. 72.
[27]Ibid, p. 74.

Capítulo 3

Logos e *Lex*: a gorja do monstro e os lábios dos anjos

No cenário cristão, a palavra tem um significado especial, principalmente a partir da Patrística, também chamada Teologia dos Grandes Padres da Igreja, cujas doutrinas permaneceram por muito tempo, e em especial na Europa cristã, a dominar a cultura exegética.

A própria revelação de Deus nos escritos testamentários aponta sua relação íntima com a palavra, quando a comunidade trinitária se torna manifesta pelo Espírito Santo, que no vocabulário original é citado como *tò pneuma tò hágion*: a palavra é o sopro que vem do interior.

A expressão grega *pneuma*, que pode ser entendida na vernácula como uma espécie de sopro, um suspiro que emana do interior de Deus, só se concretiza por meio do Logos, citado desde o livro do Gênese como palavra criadora, até sua encarnação como o ápice do plano de Deus, conforme nos atesta o Evangelho de João, no primeiro capítulo, na pessoa de Jesus Cristo[28].

Santo Agostinho, referindo-se à gratidão humana que se tornava uma vocação, afirmava que "a despeito de tudo, o homem, pequena parcela de vossa criação quer louvar-vos"[29], fazendo-o por meio da palavra, capaz de exprimir o que se encontra no coração[30].

---

[28]BÍBLIA. N. T. Jo. Português. *Bíblia Sagrada*. , cap. 1, versículo 14.
[29]AGOSTINHO. Confissões, I, 1,1. *In*: João PAULO II. *Catecismo da Igreja Católica*: Edição Típica Vaticana. , p. 22.
[30]BÍBLIA. N. T. Jo. Português. *Bíblia Sagrada*, cap. 6, versículo 45.

Justamente contrária a tal propósito, a blasfêmia configura uma ruptura com o plano divino e com a própria natureza da criação, por meio da palavra, denegrindo e ofendendo a Deus e a sua Igreja. É por isso que São Tomás de Aquino afirmou que quando o homem, por livre iniciativa, comete um pecado de tamanha gravidade, não é digno de perdão, pela justificativa de que

> quando a vontade se volta para uma coisa contrária à caridade pela qual estamos ordenados ao fim último, há no pecado, por seu próprio objeto, matéria para ser mortal (...) [como] contra o amor a Deus, como a blasfêmia.[31]

A própria sagrada escritura confirma a gravidade da blasfêmia quando o evangelista Mateus relata o que Jesus disse aos seus discípulos: "se alguém tiver pronunciado uma blasfêmia contra o Espírito Santo, não lhe será perdoada nem no presente, nem no século futuro".[32]

Luís de Granada, no Guia dos Pecadores, no século XVI, corroborando São Tomás de Aquino e Santo Agostinho, declara que

> dos pecados mortais, o mais grave é a blasfêmia, muito próximo dos três pecados mais graves do mundo que são a infidelidade, a desesperança e a ira contra Deus, no absoluto o mais grave de todos.[33]

Nos conselhos que São Luís, rei da França, deu a seu filho Felipe, ele lhe recorda, entre outros, que devia banir de suas terras os pecados públicos como a blasfêmia, a fornicação, os jogos de azar, a bebedeira e extirpar a heresia. O rei engajou-se com veemência contra a utilização da "linguagem impura". Os decretos de Luís, em 1254, proibia aos bailios e aos prebostes (magistra-

---

[31]Tomás de AQUINO. Suma Theologica, I-II, 88, 2. *In*: João PAULO II. *Catecismo da Igreja Católica: Edição Típica Vaticana*, p. 497.
[32]BÍBLIA. N. T. Mt. Português. *Bíblia Sagrada*. cap. 12, versículo 32.
[33]Luís de GRANADA. *Guia de Pecadores. ap.* DIDIEU, Jean-Pierre. *Le modèle religieux...* p. 242.

dos e juízes) de pronunciar "qualquer palavra que seja em desprezo a Deus, a Nossa Senhora ou a todos os santos"[34].

Durante sua estada em Cesareia, o rei fez colocar, no pelourinho, um ourives culpado de ter blasfemado, pendurando-lhe
ao redor do pescoço tripas e a fressura de um porco. De volta à
França, ele chegou a mandar marcar com ferro quente os lábios
de um burguês de Paris culpado do mesmo crime[35]. São Luís foi
o primeiro dos Capetos[36] a legislar com grande severidade contra
a blasfêmia, a ponto de o papa Clemente IV exortá-lo a moderar
o rigor das penas previstas: mutilação e morte[37].

Ainda na França, um decreto de 1397 confirma as punições
contidas nas leis de 1296 e 1347, que ordenavam a aplicação de
antigas penas: rachar os lábios ou cortar a língua dos blasfemadores[38]. Em Portugal, uma lei de 1312, na época do rei d. Dinis,
ordenava que o fato de renegar a Deus e a sua mãe Santa Maria,
bem como blasfemar contra eles, era um crime enorme. A pena
era cruel: o criminoso devia ser queimado depois de ter a língua
arrancada pelo pescoço[39].

---

[34]Jean RICHARD, *Saint Louis, le justicier sans faiblesse*, p. 286.

[35]Jean RICHARD. *op. cit.*, p. 286.

[36]A dinastia Capetiana, também Capetíngia, foi a família real que governou a França durante mais de oitocentos anos. Deveu o seu nome à alcunha do fundador,
Hugo, Duque de Francia. Hugo era denominado Capeto por causa da capa curta
que sempre ostentava por ser abade secular em St. Martin de Tours. Como se
tratava do mais importante vassalo de Luís V de França, Hugo conseguiu fazer-se
eleger rei quando da morte de Luís, em 987.

[37]Elisabeth BELMAS. La montée des blasphèmes à l'Age Moderne – du Moyen
Age au XVIIe siècle. *In*: Robert MUCHEMBLED (dir.). *Mentalités*. Histoire des
cultures et des sociétés. Injures et blasphèmes..., p. 15. Nesse artigo, a autora analisa a blasfêmia nas *Ordenações Francesas*: "a leitura dessas *ordenações* dá frio na
espinha... e suscita uma quantidade de questões. A legislação real mostra-se, com
efeito, mais rude para com os blasfemadores que a legislação canônica: até o século
XVI, esta recusa com obstinação as mutilações corporais".

[38]Nelson OMEGNA. *A diabolização dos judeus*: martírio e presença dos sefardins no
Brasil Colonial, p. 152. O autor comenta que tais penalidades, por serem muito violentas, não eram aplicadas, "mas demonstravam um horror sagrado do vício estúpido".

[39]Marcello CAETANO. *História do Direito Português (1140-1495)*, p. 360 e p. 556.

Em geral, como acabamos de citar, certas legislações eram rigorosas com os blasfemadores: línguas arrancadas e lábios rachados ou queimados; no entanto, estas atrocidades foram raramente aplicadas pela Inquisição portuguesa. Segundo os processos que consultamos, além da prisão, o degredo e as penas espirituais, os blasfemadores foram, também, amordaçados durante o auto de fé. A mordaça era um assessório pejorativo e humilhante, o símbolo do silêncio imposto que tragicamente expressava a proibição verbal. Por que esse martírio sempre relacionado com a boca? Uma vez mais a legislação mostra-se ricamente simbólica.

Para os inquisidores e os eruditos em geral, o homem foi criado à imagem de Deus. E Jesus, seu Filho, é a Palavra encarnada, o Verbo. A boca é a porta por onde passa o sopro, a palavra. Ela é o símbolo da potência criadora e, particularmente, da insuflação da alma. A boca é o órgão da palavra que é *logos*, verbo, e do sopro que é espírito. Nesta exegese intensamente representativa, o mundo é o efeito da Palavra divina: "No princípio era o Verbo..."[40]. A boca permite então a palavra, que é o próprio Deus. Mas ela comporta também um reverso. A força suscetível de elevar e glorificar a Deus é igualmente suscetível de aviltar e humilhar seu nome.

A boca "é representada na iconografia universal tanto pela gorja do monstro quanto pelos lábios dos anjos"[41]; ela pode ser a porta do paraíso ou a do inferno. A língua é, também, um instrumento da palavra, considerada como uma chama. Ela destrói ou purifica e, segundo as palavras que profere, a língua é justa ou perversa: "A língua sã é uma árvore de vida, a língua perversa corta o coração."[42]

A língua impura, caluniadora, mentirosa e blasfemadora sempre foi condenada. Na tradição hebraica, vinte e três juízes eram necessários para julgar um caluniador. Para o Santo Ofício, o blasfemador era um pecador destinado ao inferno. A única possibilidade de salvar-se era a total submissão aos inquisidores, os emissários do perdão.

[40]BÍBLIA. N. T. Jo. Português. *Bíblia Sagrada*..., cap. 1, versículo 1.
[41]Jean CHEVALIER; Alain GHEERBRANT. *Dictionnaire des symboles*, p. 141.
[42]BÍBLIA. A. T. Prov. Português. *Bíblia Sagrada*, cap. 15, versículo 4.

A epistemologia da palavra blasfêmia remete-nos a duas palavras gregas: *blaptein* (lesar, ferir, danificar) e *phème* (reputação). *Blapto*, estragar, destruir; *phain*, tornar visível. Consiste basicamente em danificar de maneira pública a imagem de alguém, de forma oral principalmente.

Referente a esta questão, Nicolau Eymerich, ao tratar dos blasfemadores, foi categórico na sua devassa: "o caso deles compete ao tribunal da Inquisição? Se afirmativo, os blasfemadores devem ser considerados como heréticos ou como suspeito de heresia?"[43]. A resposta a tal questionamento é retirada do Dicionário dos Inquisidores de 1494:

> existem dois tipo de blasfemadores que não se pode confundir, (...) [o primeiro é constituído] por aqueles que não se opõem aos artigos da fé (...). Mesmo que o Santo Ofício não se interesse pelos blasfemadores simples, eles devem ser castigados[44].

O segundo tipo de blasfemador, em compensação, é tratado de maneira severa pela Inquisição, conforme nos consta: "(...) mas há um outro tipo de blasfemadores que proferem ataques diretos contra os artigos de fé. Atacam de frente a onipotência divina (...). Por meio disso, negam o primeiro artigo da fé", e a estes, "(...) serão tratados como heréticos, e os inquisidores podem persegui-los"[45].

A perseguição inquisitorial, contudo, não se dava de forma aleatória segundo julgamentos de valores propriamente subjetivos dos juízes, pois partia de uma legislação com categorias detalhadas e minuciosas para o trato de tal irreverência, tanto em Portugal como no Brasil.

As *Ordenações Filipinas*, impressas em 1603, constituíram por muito tempo a legislação oficial lusitana, responsável pela sustentação jurídica e religiosa tanto da metrópole como de suas possessões ultramarinas.

---

[43]Louis SALA-MOLINS (dir.). *Le Dictionnaire des inquisiteurs (Valence, 1494)*... p. 111.
[44]Idem, p. 112.
[45]Idem, p. 206.

Na América portuguesa, o primeiro bispado estabelecido, contemporâneo à formação do governo-geral, pertencia à capitania da Bahia, subordinada ao arcebispado de Lisboa. Desta mitra episcopal desmembraram-se duas prelazias: uma no Rio de Janeiro e outra em Pernambuco.

A prelazia do Rio de Janeiro foi autorizada em 19 de julho de 1575 pelo papa Gregório XIII, compreendendo as capitanias de São Vicente, Rio de Janeiro, Espírito Santo e Porto Seguro. A prelazia de Pernambuco, instituída pelo papa Paulo V, em 1614, abrangia Pernambuco, Paraíba e Maranhão. Sua duração foi breve, já que fora revogada em 1624, quando seu território voltou a fazer parte da diocese de Salvador[46].

Somente no final do século XVII é que foram criados mais três bispados: o do Rio de Janeiro, em 1676; o de Olinda, em 1676; e a diocese do Maranhão, em 1677. A partir de então, a Bahia foi elevada à condição de arcebispado por iniciativa do papa Inocêncio XI.

Outro bispado brasileiro foi instituído na capitania do Grão--Pará, no ano de 1719, que era subordinado não ao arcebispado da Bahia, mas ao de Lisboa, desmembrando-se da diocese do Maranhão, outrora pertencente.

Uma notificação oficial do primaz da Bahia justificava os motivos para tal desdobramento entre as dioceses e prelazias:

> O arcebispo da Bahia expõe a V. M. por este Conselho em carta de 24 de janeiro deste presente ano, que por carta de 06 de setembro do ano próximo passado, lhe ordenou V. M. desse o seu consentimento para se erigirem dois bispados naquela América, além dos que já estão eretos e que não somente dá o seu consentimento, mas muitas graças a Deus Nosso Senhor por inspirar a V. M. tão pio e católico zela pela salvação de seus vassalos em querer lhes dar Pastores que de mais perto possam conhecer e remediar as suas ovelhas, visto como as grandes

---

[46]Ver Antonia Aparecida QUINTÃO. *Lá vem o meu parente*: as irmandades de pretos e pardos no Rio de Janeiro e em Pernambuco (século XVIII), p. 53-55.

distâncias dos três bispados Bahia, Rio de Janeiro e Pernambuco lhes dificultam e quase impossibilitam as visitas que tanto encomenda o Santo Concílio Tridentino.[47]

O Brasil, portanto, contava com dois eixos jurídicos: as *Constituições Primeiras do Arcebispado da Bahia*[48], de 1707; e o estado do Maranhão e do Grão-Pará, pertencentes ao arcebispado de Lisboa e seguidores, portanto, das leis emanadas diretamente de Lisboa. Dois pesos? Duas fontes do direito que poderiam contradizer-se? Aparentemente, nenhum conflito. Antes de qualquer norma jurídica, seja ela emanada do Estado ou da Igreja, o seu conteúdo deveria estar em conformidade com as *Ordenações* do Reino, que neste caso funcionou como amálgama do equilíbrio na distribuição do poder.

Nas *Ordenações Filipinas*, as punições impostas aos hereges eram severas. Muitas vezes é utilizada a expressão que designa a pena de morte: "morra por *ello*". Entretanto, a sentença "morra por *ello*", bem como a "morra por isso", não significava unicamente a morte física, mas poderia também expressar a morte civil, aquela que excluía o condenado de seu meio social por intermédio de uma condenação ao degredo.

As *Ordenações Filipinas*, assim como as suas precedentes, e mais tarde, as *Constituições Primeiras do Arcebispado da Bahia*, eram compostas por cinco livros nos quais estavam registradas leis tanto civis como religiosas.

Nas *Ordenações*, em especial no Livro V, dedicado ao direito penal, consta com prioridade os procedimentos punitivos contra os hereges e o que em especial nos interessa: os castigos a

---

[47] Antonia Aparecida QUINTÃO, *op. cit.*, p. 54.
[48] As *Constituições Primeiras do Arcebispado da Bahia*, em 1707, foram ordenadas por dom Sebastião Monteiro da Vide, bispo do dito arcebispado e do conselho de sua majestade. A obra foi impressa em Lisboa em 1719 e, um ano depois, em Coimbra. Ela traz um conteúdo teológico e pastoral que tinha como objetivo responder aos anseios da fé colonial.

serem aplicados aos blasfemadores. No título "Dos Heréticos e dos Apóstatas", primeira matéria do Livro V das *Ordenações Filipinas*, a heresia encontra-se no pódio elevado do crime. Herético está ali definido como sendo a pessoa que sustentava com tenacidade um sentimento errôneo acerca de algum dogma de fé, afastando-se da religião oficial: um heterodoxo, um fora da lei de Deus e das ordens do Rei[49].

Focando nosso olhar diretamente para a blasfêmia, as *Ordenações*, no título II, fazem uma série de observações. "Dos que arrenegão, ou blasfemão de Deos, ou dos Santos"[50] é o título que encabeça o texto, composto de multas e penas para quem assim o fizesse. Nas *Ordenações* encontramos a seguinte exortação:

> Qualquer [pessoa] que arrenegar, descrer, ou pezar de Deos, ou de sua Santa Fé, ou disser outras blasfêmias, pola primeira vez, sendo Fidalgo, pague vinte cruzados, e seja degradado hum anno para Africa. E sendo Cavalleiro, ou Scudeiro, pague quatro mil reis, e seja degradado hum anno para Africa. E se fôr peão, dem-lhe trinta açoutes ao pé do Pelourinho com baraço e pregão, e pague dous mil reis. E pola segunda vez, todos os sobreditos incorram nas mesmas penas em dobro. E pola terceira vez, além da pena pecuniária, sejam degradados trez annos para Africa, e se for peão, para as Galés[51].

Evidencia-se, a partir do que consta nas *Ordenações*, que as penas para os hereges que arrenegavam a Deus, Jesus ou a Virgem Maria, eram relativas ao papel social exercido por cada categoria de indivíduos, sem deixar de lado o fato de que todos participavam de um comum resultado expresso por meio da punição. Da mesma forma, embora com penas menores, as *Ordenações* esti-

---

[49]Sílvia Hunold LARA (org.). *Ordenações Filipinas*: Livro V. p. 149.
[50]Idem, p. 150.
[51]Idem, p. 150.

pulavam o tratamento com os que oscilavam na fé: "descrendo, pesando, ou dizendo outras blasfêmias contra algum Santo"[52]. As penas, nestes casos, eram pecuniárias; portanto, sem penalizar com morte ou degredo.

O próprio Livro V, apesar de estipular penas relativas à gravidade das blasfêmias, deixa uma brecha jurídica que dá liberdade interpretativa aos julgadores:

> Porém, se alguma pessoa de qualquer condição per algumas outras palavras mais enormes e fêas blasfemar, ou arrenegar de nosso Senhor, ou de nossa Senhora, ou da sua Fé, ou dos seus Santos, fique em alvidrio dos Julgadores lhe darem outras maiores penas corporeaes, segundo lhes per direito parecer, havendo respeito à graveza das palavras, e qualidade das pessoas, e do tempo e lugar, onde forem ditas.[53]

Na lei existia, no entanto, o arbítrio dos magistrados na sua interpretação, que era também um direito. Giraldo Joze de Abranches, ao chegar ao estado do "Pará, Maranhão e Ryo Negro"[54], em 1763, estava revestido deste poder por ser o inquisidor responsável pela Visitação do Santo Ofício. Consta na ata de comissão para abertura oficial da Visitação, a delegação de autoridade total, em nome da Igreja, para o visitador Abranches: "nossas vezes, e damos inteyro poder. E pella mesma Autoridade Apostolica mandamos em virtude de Santa Obediência e Sob pena de excomunhaõ"[55].

Foi a este poder conferido ao visitador, que Laura de Mello e Souza cunhou a comparação metafórica de que a visitação era uma colheita; e de que os visitadores eram os agricultores que colhiam os frutos dos evangelizadores que semearam a palavra[56].

---

[52]Idem, p. 150.
[53]Sílvia Hunold LARA (org.). *Ordenações Filipinas*: Livro V... p. 151.
[54]*VEGP*, p. 115.
[55]*VEGP*, p. 116.
[56]Laura de Mello e SOUZA. *O diabo e a Terra de Santa Cruz*. p. 140.

Capítulo 4

Blasfemadores banidos

No Brasil, a missão salvacionista dos padres da Companhia de Jesus e a vigilância dos inquisidores nas várias visitações esbarravam em muitos obstáculos. Um grande estorvo que dificultava a implantação da moralidade católica nas terras brasileiras foi, entre outros, o comportamento heterodoxo dos colonos portugueses que "traziam consigo todo o leque de superstições, crenças, dúvidas, críticas e ironias que tinham aparecido na Europa"[57]. Dissidências, irreverências e blasfêmias faziam parte da bagagem dos colonos, fossem funcionários do governo ou simples criminosos degredados.

Alguns casos são bastante conhecidos, como aquele revelado no processo inquisitorial contra o governador da capitania de Porto Seguro, Pero de Campo Tourinho, que comentaremos mais adiante. No entanto, privilegiaremos os réus incógnitos, pessoas comuns que faziam parte do cotidiano colonial e protagonizaram o universo de ideias contrárias à intolerante doutrinação inquisitorial; gente simples, na maioria.

Por causa de suas blasfêmias, Antônio Luís de Meneses, "judeu da nação e convertido à fé católica", 38 anos, casado, sem trabalho, nativo de Alger e morador de Lisboa, foi preso pela Inquisição. Ele afirmou que as pessoas que viviam segundo a lei de Cristo eram tão infames quanto "a lama da rua". Até aqui, essa expressão podia ser considerada uma blasfêmia simples e, portanto, pertencente à justiça leiga. Mas o Santo Ofício constatou que o blasfemador, em outras ocasiões, tinha seriamente ofendido a religião católica proferindo palavras "heréticas, temerárias e escandalosas". Ele havia publicamente afirmado que negava a fé de Cristo,

---

[57]Stuart B. SCHWARTZ. *Cada um na sua lei*: tolerância religiosa e salvação no mundo atlântico ibérico, p. 274.

que queria morrer pela fé de Moisés e que lamentava ter recebido o sacramento do batismo. Essas afirmações continham os ingredientes perfeitos para uma condenação inquisitorial: a negação da fé católica e a afirmação da lei judaica. Depois da abjuração, Meneses foi condenado a 3 anos de degredo para o Brasil, "de onde não sairá sem a autorização deste tribunal". Ele foi conduzido à prisão dos degredados para esperar o dia de seu embarque. Em 19 de janeiro de 1647, Andréa das Neves, sua esposa, pediu aos inquisidores a anulação de seu casamento. A mulher afirmou decididamente que Antônio Luís era "um homem tribulento e sugador"[58]. Ela queixou-se de que seu marido, repetidamente, a ameaçou dizendo que ele pediria autorização ao Santo Ofício para poder voltar à sua casa e, nesta ocasião, ele a mataria e lhe tomaria todos os seus bens. Andréa, amedrontada, implorava aos inquisidores que, pelo amor de Deus, concedesse autorização "para a dita separação". Como normalmente o Santo Ofício confiscava os bens do condenado, Andréa suplicou que lhe deixassem o patrimônio "para sua sustentação e a de seu filho, pois não tem outro recurso senão Deus"[59].

Uma vez presos nas malhas inquisitoriais, os blasfemadores tinham duas possibilidades: manter seus "vômitos desonestos" e serem considerados heréticos e, assim, abandonados ao braço secular para serem condenados à morte; ou, em contrapartida, podiam se retratar com a intenção de se corrigir, de esquecer suas maldições e de aceitar a penitência que lhes era imposta pelos inquisidores. Uma vez arrependidos e penitentes, eles não seriam entregues aos juízes ordinários, teriam direito a uma pena mais branda[60]. Todos os blasfemadores condenados ao degredo desti-

---

[58]IAN/TT: Inquisição de Lisboa, processo 5703: Antônio Luis de Meneses.
[59]Idem.
[60]Louis SALA-MOLINS *Le Dictionnaire des inquisiteurs (Valence, 1494)* p. 115; e Louis SALA-MOLINS *Le Manuel des inquisiteurs de Nicolau Eymerich et Francisco Peña (Avignon, 1376; e Roma, 1578)*, p. 64.

nado ao Brasil retrataram-se publicamente. Caso contrário, eles teriam sido queimados pela justiça secular. Da morte eles foram perdoados, no entanto, deveriam passar por uma série de castigos até obterem o perdão definitivo.

Os blasfemadores Antônio Pires e André Vicente, heréticos da Inquisição de Évora, abjuraram suas faltas e mostraram-se contritos. Consequentemente, depois de cumprir suas penas, tiveram direito ao perdão.

Antônio Pires, nativo de Arraiolos e morador de Moura, arcebispado de Évora, era muleteiro e tinha 30 anos quando o Santo Ofício o prendeu. Ele foi acusado de sacrilégios, heresias e blasfêmias. Ele havia arremessado no chão o rosário que tinha à mão dizendo que faria o mesmo com a imagem de Cristo. Além disso, Antônio havia blasfemado contra a "Virgem Maria, Nossa Senhora, e contra os apóstolos São Pedro e São Paulo e vários santos da corte celeste". Durante a cerimônia do auto de fé de 28 de março de 1632, Antônio Pires apresentou-se com uma vela nas mãos, a cabeça descoberta e a boca amordaçada. Foi condenado a 3 anos de degredo. O Brasil foi o seu destino[61].

André Vicente, 25 anos, diácono da Ordem de São Pedro e tesoureiro da igreja de São Sebastião de Lagos, foi preso em 21 de dezembro de 1631. Acusado de heresia e de blasfêmia contra a fé católica, afirmou, entre outras coisas, que nas igrejas não se encontrava Deus mas, sim, o Diabo, e que Deus não tinha vindo ao mundo para perdoar os pecados. Os inquisidores condenaram-no, também, a 3 anos de degredo para o Brasil[62].

O Santo Ofício distinguia, ainda, graus diferentes contidos nas blasfêmias: aqueles que não aderem às heresias que vomitam, que blasfemam a tempo e a contratempo, especialmente durante o jogo, espontaneamente, por ocasião da menor contrariedade eram forçados a abjurar por "veemente suspeita", pois "a consi-

---

[61]IAN/TT: Inquisição de Évora, processo 2004: Antônio Pires.
[62]IAN/TT: Inquisição de Évora, processo 5585: André Vicente.

derável freqüência de suas blasfêmias justifica uma suspeita veemente de heresia".[63] Aqueles que blasfemavam ocasionalmente, quase exclusivamente durante o jogo, são considerados na categoria de "leve suspeita" porque

> somente proferem suas grandes inconveniências sob o efeito de uma grave inquietude e do furor, e não para afirmar sua crença; de sorte que dizem isso, mas não crêem menos no oposto.[64]

Os inquisidores sabiam muito bem que os blasfemadores normalmente proclamavam as suas "enormidades" num momento de fúria; a blasfêmia "é filha da cólera e do orgulho"[65] e, portanto, a agitação e a ira não desculpavam, de forma alguma, o criminoso: "o blasfemador sabe a quais fúrias o conduz o jogo ou outra coisa, e quais vômitos heréticos vomita. Que se vigie se quiser evitar a justiça Inquisitorial".[66] O jogo, geralmente associado à bebida, era considerado uma paixão desenfreada que contribuía para que a língua e os gestos não fossem convenientemente controlados. As blasfêmias tornavam-se, então, durante ou depois de uma partida, uma forma agressiva de despeito face ao fracasso. Normalmente, as blasfêmias lançadas durante os jogos aconteciam em lugares públicos "pois a maior parte dos jogadores encontram-se nos cabarés e nas casas de jogos, que são lugares de perdição e de violência".[67]

Silvestre da Silva, ferreiro de 51 anos, por causa de sua personalidade violenta, não foi capaz de controlar sua cólera. Ele não foi suficientemente vigilante para evitar os tentáculos da justiça inquisitorial. Silvestre morava em Castanhede quando

---

[63]Louis SALA-MOLINS (dir.). *Le Dictionnaire des inquisiteurs (Valence, 1494)*... p. 116.

[64]Idem.

[65]Idem.

[66]Louis SALA-MOLINS. *Le Manuel des inquisiteurs de Nicolau Eymerich et Francisco Peña (Avignon, 1376; e Roma, 1578)*... p. 65.

[67]Alains CABANTOUS. *Histoire du blasphème en Occident.*, p. 27.

foi acusado pela Inquisição de Coimbra de ter blasfemado "atroz e escandalosamente". Ele ultrajou, em várias ocasiões e lugares, o nome de Deus e dos santos.

Uma vez, alguém lhe pediu "pelo amor de Deus" uma esmola, e Silvestre, sem medir as suas palavras, respondeu: "que o diabo o carregue com o amor de Deus". Afirmou, nessa ocasião, que os bens que ele possuía não tinham sido dados por Deus, mas pelo próprio diabo. Declarou, ainda, que sua alma pertencia ao demônio. Os inquisidores consideraram que tais blasfêmias eram ofensivas a Deus. Suas blasfêmias foram consideradas temerárias e heréticas e que, mesmo abjuradas, seriam vigorosamente punidas com o açoite, a mordaça e o degredo[68].

As blasfêmias de Silvestre não pararam aí. Ele também ofendeu a Virgem Maria e os santos: uma vez, um pobre pediu-lhe uma ajuda em nome de santa Catarina. Ele respondeu que "o diabo lhe carregasse" e que "ele não tinha nada a ver com a dita santa". Um outro dia, "durante o *Angelus* e a oração da Ave Maria", alguém lhe propôs recomendar-se a Deus. Como de costume, raivoso ele respondeu que negava a fé católica e pronunciou certos palavrões que o notário da Inquisição de Coimbra, por vergonha e respeito, recusou-se a anotar no processo. O escrivão justificou-se: "para não ofender os católicos, nós não escrevemos". No auto de fé de 25 de julho de 1706, Silvestre da Silva, depois da retratação pública, foi condenado a cinco anos de degredo para o Brasil. Antes da partida ele foi açoitado pelas ruas de Coimbra[69].

No século XV, comentando as palavras de Eymerich, Francisco Peña propôs, no Manual dos Inquisidores, que se a blasfêmia é grave e frequente, amordaça-se seu autor, coloque nele a mitra da difamação, a famosa carocha e que, nu até a cintura, seja publica-

---

[68]Cf. *RSOI*: Livro III: Das penas que hao de haver os culpados nos crimes de que se conhecem no Santo Ofício, título XII: Dos blasfemos e dos que proferem proposições heréticas, temerárias ou escandalosas.
[69]IAN/TT: Inquisição de Coimbra, processo 1716: Silvestre da Silva.

mente flagelado e, em seguida, degredado. O blasfemador nobre tinha alguns privilégios: "que seja conduzido sem a carocha e encerrado num mosteiro por algum tempo e condenado a pagar uma grande soma em dinheiro"[70].

Além de todos esses castigos, o criminoso, para a completa purificação de sua alma, era ainda condenado a penas espirituais como, por exemplo, "ir à igreja em dia de festa durante a missa, cabeça descoberta, torso nu, descalço, uma corda ao pescoço e uma vela à mão. Ao final da missa, ler-se-á uma sentença de condenação que comportará sempre uma pena de jejum e o pagamento de uma multa"[71].

Em Portugal, diferentemente das instruções de Eymerich e de Francisco Peña, escritas no Manual dos Inquisidores, a sentença dos condenados era pronunciada durante a cerimônia do auto de fé, público ou privado, realizado na sala do Santo Ofício. As penitências, sempre de caráter espiritual, tinham como função a inserção do penitente na rotina doutrinal da fé.

Pedro Afonso, 60 anos, nativo de Almodovar, foi acusado de vários crimes. Entre eles figurava a heresia, a adesão ao maometismo e as blasfêmias. Pedro compareceu ao auto de fé em 12 de outubro de 1553, descalço, cabeça descoberta, vela acesa na mão e amordaçado. Suas penas espirituais foram confessar-se e comungar três vezes por ano, e ir à missa durante uma semana[72].

A blasfêmia, como já salientamos, era um delito da competência dos dois braços da justiça: o secular e o eclesiástico. Para as blasfêmias simples, as *Ordenações Filipinas* de 1603 impunham, para os nobres, o degredo para a África e uma pena pecuniária; mas se o blasfemador fosse homem vil, ou seja, sem nobreza, so-

---

[70]Louis SALA-MOLINS, Louis (dir.). *Le Manuel des inquisiteurs de Nicolau Eymerich et Francisco Peña (Avignon, 1376; e Roma, 1578)*..., p. 66.

[71]Idem.

[72]IAN/TT: Inquisição de Évora, processo 5649: Pedro Afonso. Além disso, ele foi condenado a 4 anos de trabalhos forçados nas galés.

freria 30 chibatadas no pelourinho "com baraço e pregão" (corda no pescoço e proclamação pública), além da condenação às galés quando as blasfêmias fossem "enormes e feias"[73].

Para as blasfêmias qualificadas como heréticas, o *Regimento* de 1640 impunha as mesmas punições que as *Ordenações Filipinas*, entretanto com algumas variantes. O que se chamava de blasfêmia herética consistia em negar o mistério da Santíssima Trindade, a divindade de Cristo, ou sua concepção por obra do Espírito Santo, ou, ainda, a remissão dos pecados por sua paixão e sua morte, sua encarnação, ou a pureza da Virgem Maria, Nossa Senhora. Se o blasfemador fosse uma pessoa "vil", além da abjuração que devia fazer no auto de fé, seria açoitado publicamente e condenado às galés. Se a pessoa fosse uma mulher da mesma condição social, seria açoitada e degredada para Angola ou para as ilhas do Príncipe ou de São Tomé. Todavia, se o criminoso fosse uma pessoa "nobre", o açoite e a galé eram substituídos por uma condenação pecuniária e "um outro degredo segundo a qualidade e as conseqüências da falta, os bens que possuísse e as circunstâncias do escândalo"[74].

De fato, na prática, os lugares de degredo determinados pelas leis, mudavam conforme os julgamentos dos inquisidores. Mesmo depois do auto de fé, a pena podia ser comutada de acordo com as circunstâncias, como ocorreu a Francisco de Almeida Negrão, 55 anos, "homem do mar", nativo e habitante da vila de Pederneira, que proferiu proposições heréticas com obstinação. Ele havia afirmado que Cristo não tinha morrido na cruz para salvar todos os homens. Foi advertido pelo tribunal do Santo Ofício de Lisboa, quando explicou aos inquisidores que as pa-

---

[73]ORDENAÇÕES Filipinas de 1603: Livro V. Mário de Almeida Costa (Nota de apresentação), edição fac-símile da edição feita por Cândido Mendes de Almeida, Rio de Janeiro, 1870. Lisboa: Fundação Calouste Gulbenkian. Título II: Dos que arrenegão, ou blasfemão de Deos, ou dos santos.

[74]*RSOI*: Livro III, título XII: Dos blasfemos e dos que proferem proposições heréticas, temerárias ou escandalosas.

lavras da consagração do cálice, *qui pro vobis, et pro multis*, não significavam "morrer por todos", pois, se assim fosse, dir-se-ia *pro omnibus*. Francisco Negrão era um rude trabalhador que ousava fazer exegeses reservadas na época, unicamente aos grandes teólogos reconhecidos pela Santa Sé.

Ele foi preso em 20 de setembro de 1673 e, durante os anos que passou na prisão, sofreu várias doenças: "quase perdeu a vista e teve três chagas abertas com uma inchação no braço esquerdo". *Pro multis* ou *pro omnibus*? Era aquela uma reflexão coerente? Lógica ou não, para o Santo Ofício isso não tinha importância. Os inquisidores detectaram na sua afirmação uma proposição herética. A questão *pro omnibus* era uma discussão hermenêutica que os ministros inquisitoriais não admitiam jamais, sobretudo vindo da parte de um simples e pobre "homem do mar". Francisco Negrão foi um questionador do dogma, conhecia o latim e ousou fazer interpretações difíceis até mesmo para os mais doutos teólogos da época. A Igreja não podia permitir que essa gente do povo invadisse o campo exegético e afiasse suas línguas nas praças, igrejas e tabernas, comentando pontos fundamentais e indiscutíveis da doutrina católica. No entanto, pessoas comuns, como o marinheiro Negrão, existiam e proclamavam aos quatro ventos as suas ideias. Eles só foram descobertos pela insistência da Inquisição em controlar e salvar a ortodoxia religiosa.

Negrão permaneceu durante nove anos no calabouço do Santo Ofício antes de ser julgado. Em 10 de maio de 1682, ele saiu no auto de fé de Lisboa e foi condenado a três anos de degredo para o Brasil. Muito doente, por causa dos longos e dolorosos anos de prisão, não tinha mais forças para embarcar. Sua pena foi comutada e ele partiu para Alcobaça, uma cidade perto de Lisboa[75], onde cumpriu o seu degredo.

Galés, longos anos de prisão, humilhações públicas no auto de fé, mordaças, açoites e degredos. Mas nem todos recebiam do Santo Ofício um tratamento tão rigoroso. Com alguns, quando

---

[75]IAN/TT: Inquisição de Lisboa, processo 746: Francisco de Almeida Negrão.

o pecado era menos grave, o tribunal inquisitorial era mais indulgente, porém não menos intolerante. Frei Francisco dos Arcos, por exemplo, foi punido unicamente através de uma retratação pública. É verdade que suas "proposições heréticas" eram mais leves do que nos outros casos que analisamos no decurso deste estudo.

Ele foi acusado de sacrilégio, um pecado muito próximo da blasfêmia, porque um e outro consistiam numa ação que violava o caráter sagrado da fé e de tudo que ela simbolizava. Frei Francisco dos Arcos, nativo de Estremoz e domiciliado no mosteiro do Bosque de Borba, declarou, por ocasião da festa de Nossa Senhora do Rosário, durante o sermão que fez na igreja de Beja, que "para a salvação de uma pessoa, era suficiente ter um terço, mesmo se a pessoa não reza com ele". Sua punição foi desdizer-se na mesma cátedra onde havia pronunciado suas "palavras fora de propósito"[76].

A princípio, sua afirmação pode parecer ingênua, mas, na realidade, segundo os inquisidores, ele faltou com o respeito à devoção católica que consistia em coroar com rosas as imagens da Virgem Maria. Cada rosa simbolizava uma oração. Daí a ideia de se servir de um colar de contas para rezar para a Virgem. A festa de Nossa Senhora do Rosário é celebrada em 7 de outubro. Esta festa foi instituída pelo papa Pio V, em 1573, depois da vitória de Lépante em 1571, para agradecer essa vitória a Maria[77].

A influência cada vez mais profunda da religião católica não cessava de aumentar nessa época. Em Portugal, entre os séculos XV e XVII, o número de conventos e de ordens religiosas aumentou vertiginosamente. De 203 mosteiros existentes ao final de 1400, passou a 396 no final de 1500. O holandês Van Linschotten obser-

---

[76]IAN/TT: Inquisição de Évora, processo 2595: Francisco dos Arcos.

[77]THÉO. *Nouvelle encyclopédie catholique*. Paris: Droguet-Ardent/Arthème Fayard, 1989, p. 745. Esta forma responde ao uso que fez-se do terço para a oração. A recitação do terço comporta com efeito cinco dezenas da Ave Maria, cada dezena sendo introduzida por um Pai-Nosso e conclui com um Glória ao Pai. Um rosário correspondia à recitação de três terços, até que o papa João Paulo II, em 16 de outubro de 2002, por meio do documento *Rosarium Virginis Mariae* apresentou um quarto mistério (cinco dezenas), chamado de "Mistério da Luz".

vou maravilhado que Lisboa era coberta de conventos, mosteiros e hospitais de misericórdia. Havia tanto construções religiosas quanto de casas residenciais. Joel Serrão, com bom-senso, comentou que provavelmente Van Linschotten havia exagerado[78].

Em uma peça de teatro representada diante do rei Felipe II, ao curso do segundo decênio do século XVII, um dos atores assim expressou: "os clérigos e os freis são tão numerosos que comiam uns aos outros" e chegou mesmo a propor que durante dez anos ninguém pudesse ser ordenado padre[79]. D. Dinis da Cunha comentou ironicamente que "a fradaria nos devora, a fradaria nos mata"[80].

Exceto o alto clero, a massa dos simples padres, sobretudo no meio rural, era de origem humilde. Geralmente, o nível de cultura teológica era praticamente nulo. A influência desses clérigos sobre a população era determinante, devido ao seu papel de instrutores e, sobretudo, de diretores de consciência.

Nosso frei do mosteiro do Bosque de Borba, Francisco dos Arcos, tinha consciência dos dogmas eclesiásticos? Tinha, no seu sermão, a intenção de profanar a devoção que consistia em rezar com o terço a Nossa Senhora? Os documentos não nos autorizam a dizer nada sobre seu sentimento religioso e a intenção de sua consciência. Por outro lado, é evidente que, ao menor desvio, consciente ou não, da ortodoxia católica podia ter consequências graves, ou pelo menos, desagradáveis e constrangedoras. A verdade é que, de certa forma, havia, principalmente no espaço do camponês, uma tolerância interpretativa com relação aos dogmas. Os padres comentavam no púlpito os seus entendimentos bíblicos e doutrinais, o povo, normalmente iletrado, escutava e por sua vez repetia os sermões acrescentando uma boa dosagem de superstições. Esta tolerância, no entanto, era reprimida e eliminada assim que os inquisidores tomavam conhecimento destes discursos desviantes.

---

[78]Joel SERRÃO (org.). *Dicionário da História de Portugal*.
[79]Ibid, p. 36
[80]Idem·

Outro clérigo, frei Diogo da Cruz, religioso professo da Ordem de São Francisco da província de Algarves, foi também condenado pelo Santo Ofício por ter "blasfemado". Foi suspenso de suas ordens sagradas e degredado por três anos no Convento de Castelo de Vide. Como era padre pregador, frei Diogo foi obrigado a retratar-se publicamente na cátedra da igreja de Mértola. Foi somente em 1682, oito anos depois de sua condenação, que recebeu autorização do Santo Ofício para continuar a exercer suas tarefas eclesiásticas[81].

Portugal foi um dos primeiros países a aceitar as decisões do Concílio de Trento, mas entre a aceitação pelo soberano e a aplicação prática havia uma enorme distância. No final do século XVI, a maior parte das dioceses portuguesas era dotada de constituições fundadas segundo as normas do Concílio. Mas o espírito ditado pelos padres conciliares não foi imediatamente assimilado na vida e nos costumes do clero, nem dos fiéis. O baixo clero permanecia medíocre e malformado; não existiam seminários em 80% das dioceses. A formação fazia-se localmente e o clero paroquial era continuamente acusado de ter pouca dignidade e péssimos hábitos mundanos.

Apesar de seus defeitos e incapacidades, a Igreja exercia uma profunda influência nos espíritos. Congregação viva e dinâmica, pregadores de sucesso, diretores espirituais de numerosas camadas da população, os jesuítas estavam, na realidade, em condições de exercer uma influência em todo o país. Mas não eram os únicos. Os dominicanos e os franciscanos tinham prestígio considerável na formação da consciência religiosa em Portugal[82], sem esquecer a congregação do Oratório, que teve um grande sucesso na península Ibérica[83].

---

[81] IAN/TT: Inquisição de Évora, processo 2462: Diogo da Cruz.

[82] J. MARCADÉ.; C. HERMANN. *La Péninsule Ibérique au XVIIe siècle.*, p. 325-328.

[83] PEREIRA, José da Costa (coord.). *Dicionário Ilustrado da História de Portugal.* v. II. , p. 57. Os oratorianos foram fundados por Felipe Neri em 1565.

O concílio de Trento deu novo impulso ao revigoramento religioso. A formação catequética passou a constituir uma verdadeira missão contra os desvios espirituais e morais cometidos pelos filhos da Igreja. Mesmo assim, as blasfêmias continuavam maculando a pureza da "verdadeira religião". Atreladas a elas estava, frequentemente, a irreverência com relação às imagens religiosas, isto é, as representações do sagrado expressas em imagens ou quadros de Jesus, da Virgem Maria e dos santos. O Dicionário dos Inquisidores, de 1494, mostra-se muito didático a esse respeito:

> e aqueles que blasfemam por ações? Aqueles que jogam pedras ou excrementos na figura do Nosso Senhor Jesus Cristo, ou sobre a cruz, ou sobre a Virgem Maria, ou sobre qualquer santo, com quais penas serão punidos?[84]

Os canonistas explicavam-se a esse propósito.

> Um fulano joga uma pedra ao acaso. Por acaso, a pedra atinge a imagem de Cristo. Não há crime de lesa-majestade. Ao contrário, há crime de lesa-majestade se a pedra for deliberadamente lançada para tocar a imagem, e se ela a tocar efetivamente. Aquele que age assim deve ser punido por crime de lesa-majestade e deve morrer. As imagens dos santos não devem ser jogadas no chão, pois isso é um ato irreverente.[85]

A pena contra o agressor está claramente registrada no Dicionário dos Inquisidores: "que contra aquele que agir de tal sorte, a vingança será dura, severa a pena, qualquer que seja a condição, a dignidade, o grau do delinqüente".[86] Teoricamente, o castigo era rígido, como todos os outros da época: "corta-se a mão direita

---

[84]SALA-MOLINS, Louis (dir.). *Le Dictionnaire des inquisiteurs (Valence, 1494)*..., p. 113.
[85]Idem.
[86]Idem.

daquele que bate numa imagem de Deus ou de seus santos, ou daquele que faz um corte na madeira que os representa". Ainda mais: "aquele que destruir ou espoliar os lugares sagrados – igrejas consagradas ao uso dos fiéis – deve ser morto, pois seu ato equivale à blasfêmia"[87].

Renegar a pessoa de Cristo, profanar a imagem de Jesus, comer carne na sexta-feira e destruir um terço, foram os crimes do jovem Luís Cabral, 22 anos, solteiro, filho de Antônio de Andrade Vasconcelos e de Maria Gomes. Luís foi preso e levado para a cadeia pública de Estremoz e, mais tarde, transferido para os cárceres da Inquisição de Évora. Entre outras blasfêmias, ele afirmou que preferia "recomendar-se ao Diabo que a Deus", e que queria "tocar o Cristo, Nosso Senhor, com duas pelotas de fuzil". Luís foi considerado pelos inquisidores de Évora um blasfemador "de ações e palavras escandalosas". Com a boca amordaçada, ele compareceu no auto de fé, no dia 1º de abril de 1629 e foi condenado a dois anos de degredo na África. Várias de suas irreverências em relação ao sagrado haviam sido cometidas no Brasil, especialmente na Bahia, onde ele havia vivido antes de ser preso[88].

O culto das imagens sagradas, normalmente utilizado pela Igreja Católica, remonta a antiga tradição da espiritualidade do Oriente cristão desde os primeiros séculos do cristianismo. Do grego *eikon*, o ícone é uma imagem pintada, representando o Cristo, a Virgem ou os santos, proposta à veneração dos fiéis. Difundiam-se, também, em estátuas que se tornaram objetos de culto nas Igrejas. Segundo a concepção católica, expressa por São João Damasceno, os ícones são sinais visíveis da santificação da matéria, tornada possível pela encarnação de Cristo[89].

O título XIII do Livro III do *Regimento Inquisitorial* de 1640 descreveu as punições para aqueles que profanavam as imagens

---

[87]Idem.
[88]IAN/TT: Inquisição de Évora, processo 4537: Luís Cabral.
[89]THÉO. *op. cit.*, p. 374 e p. 764.

sagradas: "por ter feito irreverência ao Santíssimo Sacramento, às imagens do Cristo Nosso Senhor, à cruz sagrada, às imagens da Virgem, nossa Senhora, e dos santos, serão condenados às galés, aos açoites e às penas segundo o julgamento dos inquisidores" que poderia ser, entre outros, o degredo para o Brasil[90].

Vejamos alguns exemplos de irreverência às imagens sagradas, cujos autores foram punidos pelo Santo Ofício: Diogo Pacheco de Mendonça, 35 anos, administrador e juiz dos direitos e domínios reais, foi preso pela inquisição de Coimbra por ter profanado as imagens sagradas das cruzes dos Santos Passos que, ele mesmo, devido à sua devoção, havia mandado construir. O nobre dom Diogo, para vingar-se de certos inimigos, ordenou a um dos seus servidores que fosse à noite, às escondidas, durante várias sextas-feiras consecutivas, ao lugar onde se encontravam as cruzes para sujá-las com excrementos, depois "pendurar uma delas como se fosse o Cristo que se enforcasse".

O fato engendrou "grande escândalo, mágoa e desolação" entre os fiéis. Diogo fingia nada saber e, segundo seu plano premeditado, denunciou o ocorrido ao Santo Ofício, acusando seus inimigos. Mas os inquisidores descobriram a intenção de vingança. No auto de fé, de 13 de fevereiro de 1667, ele foi condenado a sete anos de degredo para o Brasil. O notário dos degredados, Luís Paulo Castro, registrou que Diogo estava sob sua guarda e que foi conduzido de Coimbra aos calabouços de Lisboa para cumprir sua pena. No mesmo dia foram levados para a mesma prisão quatro outros condenados: Francisco Ferreira, Manuel Dinis, Manuel Francisco e João da Fonseca Seixas, todos condenados a cinco anos de degredo para as terras brasileiras[91].

Não são somente as imagens de Jesus, de Maria ou dos santos que eram consideradas sagradas. Todos os objetos utilizados pelos

---

[90]*RSOI*: Livro III, Título XIII: Dos que desacatam, ou fazem irreverência ao Santíssimo Sacramento do altar, ou às imagens sagradas, ou recebem o Santíssimo Sacramento, não estando em jejum.

[91]IAN/TT: Inquisição de Évora, processo 6963: Diogo Pacheco de Mendonça.

padres, ao longo das cerimônias religiosas, deviam ser igualmente tratados com respeito e delicadeza. Mas André Vicente, que já conhecemos por suas blasfêmias, ainda que fosse diácono e prestes a ser ordenado padre, utilizou tais artefatos de uma forma grotesca. Ele foi acusado pelo Santo Ofício de irreverência aos objetos religiosos que pertenciam à igreja de São Sebastião. Roubou os panos purificatórios com as quais o padre enxugava o cálice depois da comunhão, bem como os corporais bentos que eram utilizados no altar, onde eram depostos o cálice e a hóstia durante a missa. Estas indumentárias litúrgicas foram utilizadas por André como lenços e para "outras improbidades". Utilizou as alvas de linho branco como camisas, e os véus da quaresma como ligas. Nos albergues, ele trocou as toalhas do altar por vinho. Certa vez, roubou a cruz do tabernáculo e a barganhou, numa taverna, por pão e vinho. Seus furtos e profanações continuavam: roubou os ornamentos da imagem de Nossa Senhora de Guadalupe para vendê-los, e os mantos dos religiosos para utilizá-los como lençóis. O diácono foi condenado em 28 de março de 1632. Foi proibido de exercer qualquer tarefa eclesiástica e degredado por três anos para o Brasil[92].

O que os inquisidores consideraram mais grave nas profanações de André Vicente foi o fato, consciente ou não, do sacrilégio à morada de Deus. Entre todos os dogmas da Igreja Católica, a hóstia consagrada é o mais venerado. Ela materializa o próprio Deus. A hóstia contém a presença de Cristo; seu sacrifício sobre a cruz e a partilha do pão que Ele fez na ceia são comemorados pela liturgia da Eucaristia. O corpo sacrificado e ressuscitado do Cristo é, portanto, representado pelo pão sem fermento que é oferecido à humanidade como sinal do amor de Deus. Este sagrado "corpo de Cristo" tem um lugar de honra nas igrejas católicas: o tabernáculo, estrategicamente localizado no altar mor das igrejas. Lugar santo que André maculou.

Desde a "santa ceia", a Eucaristia é um dos pontos de referência da fé católica, mas, apesar de todos os cuidados que os fiéis

---

[92]IAN/TT: Inquisição de Évora, processo 5585: André Vicente.

tomavam com a hóstia, ela, às vezes, era profanada. Por exemplo, um certo Diogo Alfaia, pedreiro, casado com Catarina Fernandes, foi enviado aos cárceres do Santo Ofício de Évora. Diogo tinha roubado na Igreja da vila do Mato, paróquia de Portalegre, uma hóstia consagrada que, mais tarde, em sua casa, tinha esmigalhado com os pés. Na mesma ocasião, ele havia furtado os santos óleos para utilizá-los de maneira profana. A gravidade da falta de Diogo não residia tanto no roubo em si, mas na profanação que havia cometido[93].

Diogo Alfaia, por ter violado a hóstia e os santos óleos, foi acusado de heresia e de apostasia. Em 11 de novembro de 1571, ele saiu no auto de fé de Évora com a boca amordaçada, descalço, uma vela acesa na mão e uma corda na cintura. Abjurou, foi açoitado publicamente e condenado às galés por toda a sua vida. Seu comportamento não foi exemplar: "por duas vezes espancou violentamente seus companheiros de cárcere e os guardas da prisão"[94].

Até aqui, todos os casos de blasfêmias, por palavras ou ações, foram cometidos por homens. A blasfêmia era, então, um pecado tipicamente masculino? Luís de Granada, no século XVI, reconheceu que, na grande maioria dos casos, os blasfemadores eram homens: "as mulheres não cometem ordinariamente este pecado"[95]. Michèle Escamilla-Colin reafirma a mesma ideia: "um pecado essencialmente do homem – conta-se menos de uma mulher entre dez" dentre os blasfemadores da inquisição espanhola[96].

---

[93]Os santos óleos contêm um profundo simbolismo: a riqueza e a bênção de Deus. O perfume da santa crisma, óleo misturado com bálsamo, significa a plenitude dos dons que o Espírito Santo proporciona. Esse óleo é utilizado nos sacramentos do batismo, da confirmação e da ordem, assim como para a consagração das igrejas, dos altares e dos relógios. Ver THÉO. *op. cit.*, p. 934.

[94]IAN/TT: Inquisição de Évora, processo 11677: Diogo Alfaia.

[95]Luís de GRANADA. *Guide des pécheurs*. Livro II, capítulo IV. *ap.* LEFRANC, Marie-Geneviève. *Mémoire sur les blasphèmes et les blasphémateurs dans le Royaume de Valence aux XVIe et XVIIe siècle*. Tese (Doutorado em História). p. 34.

[96]Michèle ESCAMILLA-COLIN. *Crimes et chatiments dans l'Espagne Inquisitoriale*. Tome 2. p. 216.

No caso português, as mulheres, mesmo que em menor proporção, foram também condenadas por causa de suas blasfêmias. Maria Soares, por exemplo, 62 anos, por proferir "blasfêmias heréticas, atrozes, ímpias, temerárias, escandalosas e ofensivas" foi presa pela inquisição de Évora em 28 de maio de 1686. Entre as várias "atrocidades que saía de sua boca", ela afirmou que o "diabo tinha mais poder que Cristo e que a Virgem, Nossa Senhora, era impura". O notário do Santo Ofício, "por decência em relação à pureza da soberana mãe do Senhor", recusou-se a registrar as palavras ultrajantes que Maria Soares utilizou para exprimir seu furor contra a Virgem Maria.

Durante um dos interrogatórios, ela afirmou "que o filho de Deus era filho de um cão da rua e que no céu havia cavalos, asnos e jumentos para o Pai Eterno, para seu Filho e para a Virgem, Nossa Senhora". Maria Soares declarou aos inquisidores que as blasfêmias que ela pronunciava não vinham dela, "mas do diabo que havia entrado em seu corpo há 11 anos". Nossa blasfemadora era filha do cristão-velho Pedro Gonçalves e da cristã-nova Leonor Soares. Os inquisidores concluíram que, por causa de sua ascendência materna, "o sangue que tinha de cristã-nova incitava-a mais facilmente a dizer tais blasfêmias contra Cristo, Nosso Senhor, e sua Mãe Santíssima". No auto de fé de 10 de dezembro de 1690, ela foi condenada a cinco anos de degredo. Foi para o Brasil, mas antes foi "instruída nas coisas da fé que são necessárias para a salvação de sua alma"[97].

Nessa época, podemos certificar que a maioria dos blasfemadores em terras tropicais era do sexo masculino. Ainda assim, encontramos algumas mulheres temerárias que tinham blasfemado de forma herética e escandalosa: pandoras que levantavam a tampa da talha, espalhando todas as palavras ímpias sobre a terra brasileira. Nós as encontraremos mais adiante.

---

[97]IAN/TT: Inquisição de Évora, processo 7697: Maria Soares.

Vários blasfemadores foram expulsos de suas comunidades de origem e alguns, dentre eles, chegaram ao Brasil. Na terra do exílio, os degredados modificaram, no cotidiano, o universo blasfemo existente em Portugal? A blasfêmia brasileira se manifestou diferentemente da blasfêmia europeia?

Na Colônia distante, separada da metrópole pelo oceano, os autóctones, os negros africanos, os mulatos brasileiros e os brancos portugueses misturaram-se e, desta amálgama, a blasfêmia colonial recebeu algumas particularidades próprias à nova cultura em formação. Mas essa blasfêmia tem sempre sua origem nas irreverências que os inquisidores portugueses estavam acostumados a condenar. Na imensa *Terra Brasilis*, onde a vigilância das autoridades legais não era tão rígida, o homem colonial encontrava o espaço ideal para continuar, e até mesmo para aperfeiçoar suas práticas consideradas ímpias. Do outro lado do mar, os inquisidores de Lisboa estavam muito preocupados com os pecados tropicais.

Ainda que a Inquisição jamais tenha sido implantada oficialmente em território brasileiro, o Santo Ofício mostrava-se inquieto em punir tais faltas. Os inquisidores eram especialistas habituados a perceber a heresia, mesmo de longe. Voltaram-se, também, para o Brasil, e algumas missões do Santo Ofício chegaram às nossas terras[98].

Nessas Visitações, centenas de confissões e de denúncias foram consignadas por escrito e, entre todos os acusados, encontramos muitos blasfemadores.

Lendo as denúncias da Bahia, Nelson Omegna confessa que ficou surpreso com a arrogância dos homens da Colônia em rela-

---

[98]Como dito, as Visitações do Santo Ofício ao Brasil foram: Bahia e Pernambuco (1591-1595), Bahia (1618), Rio de Janeiro (1627) e Grão-Pará (1763-1769). O Santo Ofício fiscalizava a ortodoxia colonial de duas maneiras: pela confissão espontânea ou sugerindo à população de denunciar os transgressores das normas religiosas e dos costumes católicos.

ção às autoridades e ao culto católico: "na zombaria e no desprezo ao clero são ousadíssimos". Nestas listas, continua Omegna, "são freqüentes os arrenegos à Virgem, os arrenegos à Deus. Aparecem os juramentos obscenos pelas partes pudendas das santas"[99].

Se em Portugal as blasfêmias eram consideradas pelos juizes da fé "enormes e feias", o que se devia dizer do que acontecia no Brasil? Se os blasfemadores da metrópole eram considerados heréticos, temerários e escandalosos, podemos classificar da mesma forma os blasfemadores da Colônia brasileira? Vejamos:

Blasfemador foi o governador da capitania de Porto Seguro, Pero de Campo Tourinho, que em 1546 foi preso por causa de seus insultos a Deus e à Igreja. Entre outros, Tourinho foi acusado pelo ferreiro João Douteiro, de pronunciar palavras de irreverência contra os santos. Ele havia dito publicamente que ofereceria uma vela de merda para Santo Antônio e que os santos eram todos santinhos de merda. O governador, ameaçado de excomunhão, bradou em cólera que faria a sua higiene pessoal com a carta do pontífice. Aos fiéis que iam à missa, ele dizia que não encontrariam Deus, mas o Diabo. Nessa mesma época, em Porto Seguro, Pero de Campo Tourinho era inimigo mortal do frei Diogo, padre da ordem dos franciscanos, degredado de Portugal[100].

No Brasil, uma das degredadas, Violante Fernandes, cigana, viúva de um ferreiro (este também degredado português), irada por causa das incessantes chuvas, bradou que Deus mijava sobre ela e que queria afogá-la[101]. Nessa época, as mulheres piedosas

---

[99]Nelson OMEGNA *op. cit.*, p. 150.

[100]IAN/TT: Inquisição de Lisboa, processo 8821. *ap.* Serafim S.J LEITE (org.). *Cartas do Brasil e mais escritos do Padre Manuel da Nóbrega*. Acta Universitatis Conimbrigensis. Coimbra: Universidade de Coimbra, 1955, p. 78. Ver, também, Almeida PRADO. *A Bahia e as Capitanias do Centro do Brasil*. São Paulo: Companhia Editora Nacional, 1945, p. 269.

[101]*PVCB*, p. 58. A confissão de Violante Fernandes foi estudada de modo mais aprofundado em Laura de Mello e SOUZA. *O diabo e a Terra de Santa Cruz...* p. 108.

recitavam as bem-aventuranças ditas por Jesus: "felizes os pobres de coração, o reino dos céus lhes pertence... Felizes os mansos: possuirão a terra... Felizes os que choram: serão consolados...". Mas Apolônia Bustamante, ao invés de glorificar a Deus, fez exatamente o contrário. Nativa de Évora e degredada de Portugal, sofrendo do mesmo desânimo por causa das tempestades, inventou uma nova e grotesca Bem-Aventurança: "Bendito sea el carajo de mi senór Jesu Christo que agora mija sobre mi"[102].

Blasfemava-se tanto por causa das chuvas como por causa da seca: Álvaro Pires vivia numa região onde as chuvas não eram tão abundantes. Em Pernambuco, Álvaro dirigiu palavras injuriosas a Deus: "ao diabo, a lua e aquele que a criou", porque não havia chovido depois e vários meses em sua cidade[103].

Filipe Tomás de Miranda, furioso, blasfemou contra Jesus, Maria e o sacramento da comunhão, mandando à merda o Cristo, a hóstia e a Virgem Maria[104]. Igualmente, Simão Pires Tavares, cristão-novo, descontente com os católicos, exclamou: "merda para a escola de Jesus e a mesma sujidade para Jesus"[105]. Manuel de Oliveira, estropiado de pés e mãos, insultou Nossa Senhora dizendo que ela deu à luz duas vezes[106]. Manuel João, marinheiro, nativo da ilha Terceira e domiciliado na Bahia, foi condenado por heresia, luteranismo e por ter pronunciado palavras contra a pureza da Virgem[107]. Antônio Nunes, também marinheiro, 30 anos, durante um jogo, jurou duas vezes pelo filho de Jesus[108]. E o sapateiro Frutuoso Antunes, 55 anos, cristão-novo, declarou

---

[102]*PVCB*, *ap.* Laura de Mello e SOUZA. *O diabo e a Terra de Santa Cruz...*, p. 128.
[103]*PVDP*, p. 59-69.
[104]*SVDB*, p. 160.
[105]*PVDB*, p. 320.
[106]*SVDB*, p. 103.
[107]IAN/TT: Inquisição de Lisboa, processo 956: Manuel João.
[108]*SVDB*, p. 370.

que a Virgem Maria, Nossa Senhora, não tinha sido virgem antes do parto, nem durante o parto, nem depois do parto[109]. Comuns eram as blasfêmias contra a virgindade de Maria, sendo consideradas muito graves pelos juízes inquisidores. A blasfêmia que questionava a virgindade de Maria, a mãe de Jesus, esbarrava em um dos princípios que a Igreja católica defende com veemência. A tradição cristã, desde o século IV, tem o hábito de dizer que Maria é sempre virgem: "*Virgo prius ac postérius*". O concílio de Latrão, em 649, consagrou a expressão. Os teólogos explicitam, com base nos Evangelhos de Mateus e Lucas, que Maria é virgem antes, durante e depois do parto[110]. A Litania Lauretana confirma: "*Sancta Virgo Virginum, Mater purissima, Mater castissima, Mater inviolata, Regina Virginum, Regina sine labe originali concepta*"[111]. Quem ousava contrariar era punido.

Além das blasfêmias contra Deus, a Virgem e os santos, existiam também pequenas e bizarras histórias que podiam ser igualmente consideradas como faltas que mereciam punição. Em 16 de setembro de 1618, nas denúncias da Bahia, Antônio de Aguiar Daltro acusou o baiano Antônio Mendes, comerciante, apelidado de Beiju. Ele declarou que Antônio tinha dito que sabia mais das coisas que os anjos[112]. O padre Hierônimo de Lemos afirmou num sermão que, quando São Pedro deu um golpe de espada em Malco, ele "estava com duas gotas", fazendo compreender que São Pedro estava bêbado"[113]. O cristão-novo Fernão Pires, batizava os cachorros e dava-lhes nomes[114]. Jerônimo Nunes, 20 anos, comeu algumas bananas com cana-de-açúcar antes de ir à missa[115]. Guiomar de Oliveira, 37 anos, mulher de um

---

[109]*SVDB*, p. 360.
[110]THÉO. *op. cit.*, p. 899.
[111]THÉO. *op. cit.*, p. 899.
[112]ANAIS da Biblioteca Nacional do Rio de Janeiro. v. XLIX, p. 184.
[113]*SVDB*, p. 170.
[114]*PVDB*, p. 367.
[115]*SVDB*, p. 140.

sapateiro, para obter a afeição de seu cônjuge utilizava as palavras da consagração durante o ato sexual: *hoc est enim corpus meum*[116].

Como em Portugal, as imagens sagradas de Jesus, da Virgem e dos santos, enchiam as igrejas, as capelas e as casas do Brasil colonial. Além disso, numerosas relíquias foram trazidas de Portugal: o lenho da cruz, seis cabeças das Onze Mil Virgens, as relíquias de São Sebastião, São Braz, São Cristóvão e de muitos outros santos, *Agnus Dei* e contas bentas. O padre José de Anchieta, em 1586, relatou que todo esse tesouro foi "repartido pelos collegios e casas da Compagnia" e que, com as tais lembranças sagradas "se excitou muito a devoção dos moradores do Brasil"[117].

Nesta mesma época, os profanadores de imagens sagradas residentes nas terras brasileiras não ficavam devendo em nada aos autores dos mesmos crimes em Portugal. As imagens de Jesus Cristo e os crucifixos eram profanados tanto na metrópole quanto na Colônia. A irreverência com relação à cruz era uma falta muito comum no Brasil: Luís Vaz de Paiva e seu sobrinho furtaram um crucifixo da capela de Nossa Senhora da Ajuda para assustar, à noite, as pessoas que passavam na rua[118]. Diogo Castanho, solteiro, cristão-novo, colocava o crucifixo na cama quando se deitava com uma negra[119]. Isidoro da Vila de Cameta, 38 anos, amarrou um crucifixo numa goiabeira e lhe deu várias chibatadas[120]. João Nunes, comerciante de Pernambuco, fazia suas necessidades sobre um crucifixo[121].

Todos estes insultos já eram conhecidos pelos inquisidores portugueses. A blasfêmia pronunciada no Brasil inquisitorial era, portanto, da mesma natureza que as imprecações habituais, muito utilizadas na Idade Média. As irreverências em relação ao crucifixo e às imagens santas faziam parte de estereótipos antigos. Escarrar e

[116]*PVCB*, p. 49.
[117]ANCHIETA, José de. *Fragmentos Históricos (1584-1586)*, p. 25.
[118]*SVDB*, p. 195.
[119]*PVDP*, p. 124.
[120]*VEGP*, p. 228.
[121]IAN/TT: Inquisição de Lisboa, processo 1491: João Nunes.

urinar no crucifixo, pisá-lo e dar-lhe chibatadas eram crimes que já haviam sido atribuídos aos Templários no século XIV, quando Felipe, o Belo, prendeu todos os membros da Ordem Militar do Templo e apreendeu seus bens. Sob tortura, eles confessaram serem renegados, idólatras, sodomitas e blasfemadores[122].

Tais crimes são de cepa europeia; têm origem na cultura popular cotidiana que, no mundo colonial brasileiro, adquiriu nuanças que dão a essas blasfêmias e sacrilégios um timbre tipicamente caboclo e mulato: por exemplo, comer bananas ou cana--de-açúcar antes da missa ou mesmo pendurar a cruz numa goiabeira. Pero de Carvalhais declarou à Inquisição de Lisboa que no paraíso não havia padres, mas unicamente agricultores. Justificou sua afirmação: "os padres viviam como porcos e os camponeses como anjos"[123]. Pero Nunes chamava o açúcar de Deus e Fernão Roiz dizia colocar a Virgem, Nossa Senhora, numa forma de açúcar[124]. Os detalhes eram brasileiros, mas a ascendência da blasfêmia era europeia. Em compensação, as práticas indígenas de riscar e de fazer cicatrizes no corpo ou adorar certas divindades pagãs eram, provavelmente, muito novas para os inquisidores. Isso, por certo, era um "desvio" ao qual os emissários do Santo Ofício não estavam habituados.

É preciso lembrar que existe uma pluralidade de formas de comportamentos blasfematórios, bem como vários graus de gravidade segundo as palavras pronunciadas e, claro, segundo as circunstâncias.

Uma classificação elementar, mas profundamente importante, é necessária para distinguir as blasfêmias: as irreverências associadas à psicologia pessoal de indivíduos de comportamentos incontrolados; as blasfêmias da linguagem costumeira ligadas, especialmente, à cultura do trabalho (marinheiros, carreteiros, soldados); ao da sociabilidade masculina como a taberna, o cabaré

---

[122]THÉO. *op. cit.*, p. 380.
[123]IAN/TT: Inquisição de Lisboa, processo 12231: Pero de Carvalhais.
[124]*PVCB*, p. 282 e p. 331.

e a casa de jogos; as blasfêmias mais nitidamente marcadas pelo selo da heterodoxia (protestantes, muçulmanos e judaizantes). A blasfêmia correspondia a um desvio consciente ou é apenas o resultado de um momento de rancor? Há casos em que o blasfemador renegava a Deus e à religião católica, como já detalhamos anteriormente; mas, no conjunto, ao que tudo indica, muito mais que uma expressão cônscia de rejeição da religião, a blasfêmia, pelo menos aquelas dos nossos degredados, era a consequência de circunstâncias particulares quase sempre ligadas a um estado psicológico associado ao furor.

As listas dos autos de fé das Inquisições de Lisboa, Coimbra e Évora contêm os nomes de centenas de blasfemadores condenados por causa de suas palavras ignóbeis. Um crime que, a princípio, não estava no centro das preocupações inquisitoriais, mas que, entretanto, não podia ser considerado como um delito insignificante, sobretudo quando consideramos que a intenção dos inquisidores era de controlar, corrigir e instruir. A blasfêmia podia ser uma entorse social grave e tornava-se uma violação pública que abalava a boa ordem, cujos responsáveis são conhecidos.

O moleiro Menocchio, resgatado por Carlo Ginzburg nos arquivos da Inquisição italiana, é um bom exemplo de um blasfemo que rompeu com a ordem estabelecida pela cultura dominante. Diante dos inquisidores, em 1584, o seu discurso, "herético e ímpio", invertia os valores dogmáticos da época. A sua convicção era determinante:

> Segundo meu pensamento e crença tudo era um caos [...] e de todo aquele volume em movimento se formou uma massa, do mesmo modo como o queijo é feito do leite, e do qual surgem os vermes, e esses formam os anjos. A santíssima majestade quis que aquilo fosse Deus e os outros, anjos, e entre todos aqueles anjos estava Deus, ele também criado daquela massa, naquele mesmo momento.[125]

---

[125]Carlo GINZBURG. *O queijo e os vermes:* o cotidiano e as idéias de um moleiro perseguido pela Inquisição, p. 117.

O argumento de Menocchio é único, porém é também reflexo de uma grande quantidade de pensamentos camponeses embebidos de tradições supersticiosas. A população de Montereale conhecia as ideias de Menocchio. No entanto, não podemos ter a certeza se concordavam ou não com esta peculiar visão de mundo. Em uma época de guerras religiosas, inquisições e perseguições aos hereges, pode-se observar que existia a intolerância dos inquisidores, mas não podemos negar a existência paralela da tolerância popular. De acordo com Ginzburg,

> despeito de sua singularidade, as afirmações de Menocchio não deviam parecer aos camponeses de Montereale tão estranhas às suas existências, crenças e aparições.[126]

Cada um a sua lei, é o sugestivo título do livro escrito por Stuart Schwartz. O autor descortina, nesta obra, a existência da tolerância religiosa na sociabilidade de pessoas comuns na península Ibérica e nas suas possessões ultramarinas[127].

Schwartz demonstra que o moleiro Menocchio não foi uma exceção. Nos arquivos inquisitoriais, espanhóis e portugueses, existem muitos exemplos de pessoas comuns que questionavam os princípios doutrinais e teológicos da Igreja católica. Nas devidas proporções, os nossos blasfemadores, citados neste livro, fazem parte deste rol de tolerância e relativismo. Em Portugal, o sentimento tolerante do povo, embora perseguido pela intolerância do Estado e da Igreja, tem suas origens no contato direto e cotidiano, com as "três leis" monoteístas praticadas no decorrer da Idade Média ibérica: o cristianismo, o judaísmo e o islamismo.

Maria Gonçalves, por exemplo, blasfemou contra as autoridades eclesiásticas: se o bispo tinha uma mitra, ela também tinha uma; e se o bispo fazia seu sermão de sua cátedra, ela também fazia de sua cadeira.[128] Sem nenhuma formação teológica, Maria

---

[126]Idem, p. 222.
[127]Stuart SCHWARTZ. *op. cit.*
[128]*PVDB*, p. 287.

reivindicava o poder da palavra e queria, ela também, fazer os seus sermões. Como muitos outros blasfemadores, ela não estava convencida de que somente existia uma verdade, aquela expressa pelos clérigos, mas acreditava que a verdade poderia ser diversa.

Binômio tolerância/intolerância à parte, todos os heréticos blasfemos foram punidos. A maioria dos blasfemadores, isto é, 66,5%, foram degredados para algum lugar no interior de Portugal. Cerca de 22% foram condenados às galés; os outros foram degredados em terras além-mar: 4%, na África (Angola, São Thomé, Príncipe e Mazagão); no Brasil, 3,5%, mas os outros 4%, o notário do Santo Ofício não registrou o lugar de degredo. Mais uma vez confirmamos que a maioria dos acusados pela Inquisição foram degredados no próprio interior de Portugal[129].

Nas listas das Confissões e Denúncias da Bahia e Pernambuco (1591-1595), Bahia (1618) e Grão-Pará (1769), as blasfêmias, irreverências e violações das imagens de Cristo, da Virgem Maria, dos santos e dos Sacramentos são os que aparecem com maior frequência.

Uma parte dos condenados portugueses foi degredada e outra purgou suas faltas nas galés, ou simplesmente recebeu algumas penitências de caráter espiritual.

---

[129]IAN/TT: Conselho Geral do Santo Ofício, Livro 433 (Inquisição de Coimbra, 1567-1781), Livro 434 (Inquisição de Évora, 1542-1763) e Livro 435 (Inquisição de Lisboa, 1540-1778).

Capítulo 5

A Visitação ao Grão-Pará:
perpetuação das blasfêmias

Em 1763, quando teve início a Visitação ao estado do Grão-Pará, Francisco Xavier de Mendonça Furtado ocupava o posto de secretário da Marinha e Negócios Ultramarinos. Na década anterior, Furtado havia governado a região paraense e, naquele momento, foi o responsável pela aplicação das reformas pombalinas que determinaram o fim da preeminência das ordens religiosas. O governador teve a colaboração, nesta medida, do bispo frei Miguel de Bulhões, e do seu substituto frei João de São José e Queiroz[130].

Na realidade, a retirada das ordens religiosas do Brasil não significou o enfraquecimento da Igreja. Pelo contrário, conotou a preponderância do papel exercido pelos bispos e pelo clero secular na sociedade colonial, ou seja, a medida reforçava o poderio diocesano frente às ordens religiosas que favoreciam a descentralização do poder do Estado[131].

Neste contexto, situa-se a Visitação ao Grão-Pará e Maranhão, como forma de corroborar o poderio régio, acionando mecanismos eficazes de coerção e controle da sociedade colonial brasileira.

Giraldo José de Abranches, o visitador oficial que outrora foi Inquisidor Apostólico da Inquisição de Évora, assinou uma ata de comissão que expunha a seriedade com que seria promulgado o Ofício Divino no Grão-Pará:

---

[130]João Lúcio de AZEVEDO. *Os Jesuítas no Grão-Pará*: suas missões e a colonização, p. 12-23.
[131]Sobre a questão, ver diferentes passagens de Laerte Ramos de CARVALHO. *As Reformas Pombalinas da Instrução Pública*.

No delicto, E crime de herezia, E apoztazia, no de pecado nefando, ou Em Outro qualquer, que pertença Ao Santo Officio da Inquizicáo, tomar aprezentacoens E quais quer denunciacoens e informacoens Testemunhadas Contras ellas E aSim Oz fautores, receptores, a defensores das mesmas E pera que possa fazer, e faca Contra Oz culpados acada hum delles processos imforma descida de Direyto, Sendo necessário Segundo a forma d aBulla da Inquizição e Breves Concedidos ao Santo officio,E pera que possa prender Aos dittos Culpados, e Sentencialos Em final Conforme o *Regimento*, e fazer todas as mais couzas, que ao dito cargo de Inquizidor, e Vizitador do Santo Officio pertençen; E pera todo o Sobre ditto e Suas dependências lhe cometemos, Nossas vezes, a damos inteyro poder[132].

Assim, depois da formação de outra comissão, mais uma vez criada para oficializar o envio de Abranches à Colônia, ainda foi necessária a promulgação de uma Provizao do Notario[133], documento com informações do escrivão e acompanhante do inquisidor, o padre Ignacio Joze Pastana.

No dia 19 de setembro de 1763 chegou o visitador no estado do Grão-Pará. Cinco dias depois, apresentou-se ao Senado da Câmara das Provisões e Comissões dos Senhores do Conselho Geral o "Senhor Inquisidor Visitador"[134].

Finalmente, no dia 25 de setembro, assinaram o documento oficial do início da Visitação da Inquisição "Giraldo Joze de Abanches, Custodio Joze da Conceicaõ, Ignacio Joze Pastana, Sebastiaõ Vieira dos Santos e Andre Joze Pinheiro"[135].

Foi desta forma que o Brasil recebeu o Santo Ofício. Mais uma vez, os objetivos dos inquisidores visavam eliminar as ano-

---

[132]*VEGP*, p. 117.
[133]*VEGP*, p. 117.
[134]*VEGP*, p. 119.
[135]*VEGP*, p. 125.

malias religiosas que feriam a Igreja Católica, bem como sua doutrina e os seus agentes. Assim sendo, vários crimes de heresia foram observados e postos em julgamento.

Nas confissões e denunciações da Visitação do Santo Ofício ao estado do Grão-Pará e Maranhão, vários foram os crimes relatados nas atas inquisitoriais. Analisando os quarenta e seis casos presentes no Livro da Visitação, constamos a seguinte tipologia de pecados: luxúria (1 caso); aborto (1 caso); sodomia (4 casos); bigamia (5 casos); feitiçaria (12 casos); blasfêmia (23 casos).

Perpassando as mais diversas formas de expressão religiosa, os pecados cometidos na América portuguesa estabelecem vínculos entre a fé lusitana, mesclada de elementos populares e a religiosidade dos escravos e dos índios, dando ao Brasil exclusividade em vários aspectos se comparado aos crimes ultramarinos.

A feitiçaria é um forte indício desta miscigenação, já que, diferente da Europa, o folclore que circunda o feitiço não está relacionado diretamente aos ritos demoníacos característicos da Idade Média, como em várias instâncias constam nas atas inquisitoriais de Coimbra, Lisboa e Évora. No Brasil, na grande maioria, estão vinculados com rituais indígenas ou, ainda, com manifestações religiosas dos africanos escravizados.[136]

A blasfêmia é o crime que aparece com maior frequência e, por isso, convém distingui-la em suas instâncias, pois, basicamente, suas vinte e três ocorrências alternam-se metodologicamente em três diferentes aplicações.

A primeira se refere às rezas e orações que feriam diretamente as verdades da fé da Igreja e seus ensinamentos. Cometida doze vezes, motivada provavelmente pelas mesmas circunstâncias que engendraram as feitiçarias, foram resultantes das diversas influências culturais que incidiam sobre o modo de vida dos colonos no século XVIII.

O segundo tipo é o de blasfêmias pronunciadas em momentos de cólera ou furor, ofensa pública a Deus. Será justamente

---

[136]Sobre a questão, ver Ronaldo VAINFAS. *A heresia dos* índios... p. 58-66.

este tipo específico de blasfêmia, que ocorreu por cinco vezes, que analisaremos a seguir com o intuito de compreender, do ponto de vista histórico e cultural, o colono e sua religiosidade.

Já a terceira e última forma de blasfêmia, seis vezes relatada, é a que acontece reforçada com o manuseio de objetos sagrados, também chamados de sacramentais, onde se destacam as heresias que envolvem o crucifixo ou objetos litúrgicos usados nas missas.

Quanta Blasfêmia e sacrilégio foram detectados no universo religioso! No âmbito cristão, no livro do Apocalipse, a blasfêmia é a besta arrogante, o monstro disforme cujo vômito, em todos os instantes, se volta à ofensa contra Deus. Arrebatado, exclamou o apóstolo João: "a fera abriu a boca em blasfêmia contra Deus, para insultar o seu nome"[137].

Tanto nas Sagradas Escrituras quanto no imaginário luso-brasileiro, o monstro blasfemador deveria ser vencido. Não obstante, ou pelo poder eclesiástico ou pelo poder laico, não seria aceitável deixar impune tamanha heresia, assim como Deus não deixara ao exterminar Satanás, no final dos tempos[138], com um sopro poderoso.

Nos relatos das confissões e denunciações na Visitação de 1763, as blasfêmias eram, na grande maioria, cometidas em momentos de cólera ou de desilusão, assim como vimos em circunstâncias anteriores. Contudo, remetiam a uma simbologia que perpassava os simples questionamentos ou desabafos para uma fonte de significados que, além de conotar a fé e seus deslizes, também possibilita a compreensão do colono nos seus atos de fraquezas, abrindo brechas de entendimento dos comportamentos comuns do seu tempo[139].

Assim se deu com padre Miguel Angelo de Morais, de 67 anos, sacerdote do hábito de São Pedro e cura da freguesia de Nossa Senhora do Rosário. O padre dirigiu-se a Giraldo Joze de Abranches para denunciar o primeiro caso de blasfêmia encon-

---

[137]BÍBLIA. N. T. Ap. Português. *Bíblia Sagrada...* cap. 13, versículo 6.
[138]BÍBLIA. N. T. IITes. Português. *Bíblia Sagrada...* cap. 2, versículo 8.
[139]Ver Lina GORENSTEIN. *op. cit.*, p. 26.

trado nos livros das denunciações registrado aos 10 dias do mês de outubro de 1763.

O denunciado era o sargento-mor engenheiro, conhecido como Gronfelt, que blasfemou ao construir uma interpretação teológica e dogmática de forma depreciativa:

> Que Deos parecia iniquoo; porque Sabendo que huma alma Se havia peder a errava neste mundo E que aSim o Sentiaõ e diziaõ Os Luteranos que pareciaõ tinhaõ razão dando Outras Muntas.[140]

Padre Miguel, admirado diante desta heresia, afirmou em sua denunciação que havia severamente repreendido Gronfelt acerca de seu detestável erro ao dar crédito aos luteranos, mas que apesar de suas advertências, o engenheiro continuava a blasfemar.

Ao pronunciar sua provocante afirmação, chamando Deus de iníquo, o denunciado, além de contrapor-se a onisciência de Deus, também feria diretamente o corpo místico de Cristo, a sua Igreja. O fato de dar confiabilidade ao luteranismo aumentava ainda mais a sua cumplicidade com os erros heréticos.

Passados aproximadamente dois meses, o padre novamente se defrontou com o sargento que continuava a tecer heresias. Desta vez, ferindo a crença e veneração dos santos e suas imagens, dizendo publicamente que "muntos Santos Cujas Imagens Estaõ nos Altares Estaõ ardendo suas almas nos infernos".[141]

Mais uma vez, padre Miguel repreendeu o blasfemador lembrando-o que o papa não errava em seus pronunciamentos e decretos. Por tradição, a crença na infalibilidade já existia, embora tenha sido formalmente oficializada somente muito mais tarde, no Concílio Vaticano I, no século XIX.

Desde o século XII, a canonização passou a ser proclamada pelo papa de forma oficial para culto e veneração. No século

---

[140]*VEGP*, p. 145.
[141]*VEGP*, p. 145.

XVI, após o Concílio de Trento, surgiu a exigência da comprovação científica dos milagres como forma de garantir ainda mais a fidedignidade do santo.

Justamente por isso, a blasfêmia feria não somente o plano espiritual com suas audaciosas afirmações, mas atingia diretamente, ao dar razão aos luteranos, a Igreja institucional e o Império, que metaforicamente eram comparados ao "corpo de Cristo".

Mais uma vez repreendido, o blasfemador não demonstrou arrependimento e, por isso, não escapou dos olhares punitivos dos inquisidores, já que seus atos eram inaceitáveis.

A Igreja do século XVIII estava marcadamente caracterizada pela sua forte união com o Estado, ainda mais quando os motivacionais cristãos no Brasil embasaram-se na "(...) evangelização antes por razões de Estado do que pelas da Alma"[142]. Logo, o intuito de preservar a imagem do Estado era fundamental para a Inquisição tanto quanto a preservação da fé. Por esta razão, quando Deus era chamado de "injusto ou iníquo", na realidade era o rei o primeiro a sofrer este insulto.

Os esforços das autoridades reais na repressão da blasfêmia encontram-se justificados pela teoria do direito divino. A blasfêmia é considerada atentatória à Majestade Divina e a seu representante no Reino; o rei é o emissário de Deus no território onde reina e, portanto, deve cuidar para que Deus não seja insultado. Nesse sentido, injuriar a Deus é injuriar o próprio rei.

É visando esta vertente interpretativa, cujos desdobramentos de fé poderiam inferir na coroa e vice-versa, que as *Ordenações* tratam de modo rigoroso qualquer desacato ao poder. No título VII do Livro V, "Dos que dizem mal de-Rey", existe inclusive a inferência de que a pena diante de tal desacato poderia resultar em morte, "tendo as palavras taes qualidades, porque a mereça"[143].

---

[142]Laura de Mello SOUZA. *O diabo e a Terra de Santa Cruz.* p. 88.
[143]Sílvia Hunold LARA (org.). *Ordenações Filipinas*: Livro V... p. 192.

Sob este viés, o caso do padre Miguel Ângelo de Morais passa a ganhar um sentido próprio numa perspectiva temporal e presente ao campo político, com matizes complementares à blasfêmia presenciada e posta em julgamento.

A partir desta mesma perspectiva de análise é que a confissão de Dionisio de Affonseca, enxertado em húmus diversos, se constitui uma afronta aos poderios régios e sagrados. Apesar de apresentar-se de forma branda aos olhares desatentos, para os dos perspicazes inquisidores, não passava despercebido.

O jovem de 26 anos, clérigo e capelão tonsurado, aos sete dias de abril de 1764, no Pará, dirigiu-se ao tribunal para confessar sua blasfêmia proferida em um ato de desconsolo perante sua enfermidade. Encontrando-se na casa de sua tia Escolástica de Souza, oprimido por uma grave doença que perdurava havia um ano, sofrendo pela febre e pelas fortes dores no corpo, blasfemou diante de sua tia e de duas irmãs:

> Que os diabos o leuasem ja para os infernos porque janaõ Esperaua Saude, E que Deos o Sepultase tambem nos infernos porque desesperou da Sua Mizericordia, pois estando daquella Sorte de Nada Seruia Neste Mundo, aranhando se pela cabeça E puxando se pellos proprios Cabelos.[144]

E disse que não muito distante disso, ainda na casa de sua tia, conversando com Francisco da Costa Barboza, com suas tias e outras pessoas que ali se encontravam, reparava que

> Deos Nosso Senhor Castigaua a alguns por huma culpa So E naõ Castigaua a Outras que tinhaõ innumeraveis Culpas E alguns destes por hum acto de contriçaõ que fariaõ na hora de Sua morte de Salvaçaõ, e que alguns dos Outros tendo ouvido bem huma culpa So Se perdiaõ.[145]

---

[144] *VEGP*, p. 199.
[145] *VEGP*, p. 199.

Poder e justiça, duas palavras subentendidas na confissão e que ecoavam pelos ouvidos dos visitadores com gravidades simbólicas que dificilmente não seriam observadas e punidas caso não houvesse contrição.

Do ponto de vista teologal, São Tomás de Aquino, um dos grandes nomes da exegética medieval, continuava a influenciar a compreensão da Igreja do século XVIII sobre a questão. Tomás de Aquino havia dito que, "em Deus o poder e a essência (...), a sabedoria e a justiça são uma coisa só e mesma coisa"[146]. Logo, poder e justiça estavam intrínsecos na própria essência de Deus. Negar tais valores, portanto, era negar a própria ontologia sagrada.

Outro agravante pesava sobre a mesa da Inquisição, pois, atribuir ao rei ausência de poder ou justiça configurava um crime gravíssimo de julgamento exclusivo, já que "o que disser mal de seu Rey, não será julgado per outro Juiz, senão por elle mesmo"[147].

Assim entendido, tanto no plano espiritual quanto na dimensão material, o pecado e o crime deveriam ser tratados com o rigor que imprimisse seriedade ao julgamento, a fim de "guiar o rebanho de Cristo aos retos caminhos"[148].

Blasfemar significava percorrer o caminho inverso proposto por Cristo. Mesmo assim, Luiz de Souza Sylva, sem ofício, 28 anos, se enveredou pelas trilhas pecaminosas, blasfemando por ação. Ele quebrou objetos de representação religiosa e desrespeitou a Eucaristia. Seus delitos foram registrados nos livros da Inquisição no dia 26 de agosto de 1765, na cidade do Belém de Pará. Ele confessou suas culpas e foi encarcerado na Freguesia de Santo Antonio da Villa de Campo Mayor do Morumbi. Seis meses depois de sua prisão, Luis afirmou que outro detento, Francisco Joze, alfaiate natural do Reino, era um constante blasfemador e herético, e que vários outros prisioneiros blasfemavam regularmente.

---

[146]Tomás de AQUINO. Suma Theologica, I, 25, 5, ad 1. *In*: PAULO II, João. *Catecismo da Igreja Católica*, p. 81.

[147]Sílvia Hunold LARA (org.). *Ordenações Filipinas*: Livro V... p. 184.

[148]*Cf.* BÍBLIA. N. T. Jo. Português. *Bíblia Sagrada*... cap. 10.

Dizia Francisco Joze que "(...) naõ há Deos, E que o Deos que ha o piza debaxo dos pes"[149]. Falou também que, por várias vezes, quando recebiam a visita do Santíssimo Sacramento, enquanto os outros presos todos punham-se de joelhos, o dito Joze virava-se de costas e chutava o chão com ódio e dizendo "Caõ perro"[150].

Além do mais, Francisco dizia com regularidade não ser ele filho de Deus, pois, segundo suas palavras: "Deos Naõ tinha poder algum E Somente o tinha o diabo"[151]. Também não assistia à missa, ficando de costas quando o sacerdote a celebrava diante da cadeia, rindo em voz alta ou, em outras vezes, "Comettendo o abominauel pecado da malícia, o qual pecado naõ tinha Cometido Somente quando Se Celebraua o Santo Sacrificio da MiSsa"[152].

O blasfemador, além de chamar o apóstolo Paulo de bêbado, foi admoestado por não recitar os terços comuns da noite e nunca foi visto rezando qualquer oração, sempre rindo e debochando das manifestações de fé dos demais encarcerados. Não menos blasfêmico era seu deboche com a Santa Eucaristia, uma vez que ele, depois da comunhão, retirava da boca partículas da hóstia e a profanava[153].

A veemente manifestação de cólera do português blasfemador parecia provir de sua revolta contra a legislação e a religião, já que estava encarcerado no Brasil. Este caso nos remete a Mikhail Bakhtin quando propõe a valorização do universo popular como possibilidade de uma atuação ativa e subjacente. Neste sentido, transcende-se a visão "dualista" apresentada por Mircea Eliade de que o sagrado e o profano são instâncias distintas e contraditórias[154]. Para Bakhtin, a orientação para baixo é própria de todas as formas de alegoria popular e do realismo grotesco: "tudo o que

---

[149] *VEGP*, p. 233.
[150] *VEGP*, p. 233.
[151] *VEGP*, p. 234.
[152] *VEGP*, p. 234.
[153] *VEGP*, p. 234.
[154] Mircea ELIADE. *O Sagrado e o Profano: a essência das religiões.*

está acabado, quase eterno, limitado e arcaico precipita-se para o 'baixo' terrestre e corporal para aí morrer e renascer"[155].

Nesta perspectiva, o teor depreciativo das negações bruscas do blasfemador aponta para um positivo renegador. Nesta ação de recusa, reside uma ambivalência de desprezo ao universo religioso, imprescindível ao cristão ibérico. Nesse caso, Francisco Joze, apesar de atentar e blasfemar contra Deus e sua Igreja, ao colocar em dúvida os valores sacramentais, e mesmo sendo encurralado pela Inquisição, ele, através de seus atos, manifesta uma inversão dos valores cristãos sem, contudo, deixá-los de lado.

No cotidiano rude do homem comum, vigilância provavelmente não foi o que teve Ignacio Peres Pereyra, Sargento Supra de Gradeyros da Companhia do Capitão Aniceto Francisco de Carualho. Ignacio tinha 27 anos de idade quando, aos nove dias do mês de março de 1765 foi à mesa inquisitorial. Em sua confissão, relatou que em um jogo de cartas, acompanhado de Jose Luis, lisboeta, soldado da Companhia do Capitão Jose Antonio Salgado, de 22 anos, disse, ao perder o jogo, que lhe parecia não haver inferno nem demônios "porquanto tendo por dez, ou doze vezes interiormente dezzejado que o demonio o ajuda-se para ganhar invocando o no Seo mesmo interior"[156].

Jose Luis, percebendo a invocação de Ignacio, confessou a ele que também evocava Satanás da mesma forma, e mais: que desejava encontrar-se com o Demônio, falar com ele e vê-lo. E por que tal desejo nunca fora atendido, concluíram que não existia nem demônio, nem inferno, já que "sem duuida que lhe hauiaõ de apparecer, ou que Ao menos lhe hauiaõ fallar inuisiuel mente"[157].

A invocação ao demônio era considerada, numa hierarquia de valores das gravidades heréticas, como um dos piores crimes come-

---

[155]Mikhail BAKHTIN. *A cultura popular na Idade Média e no Renascimento: o contexto de François Rabelais*, p. 325.

[156]*VEGP*, p. 230.

[157]*VEGP*, p. 231.

tidos, já que a figura do diabo, anjo que se rebelou contra Deus, era exaltada. A alegoria do diabo era recorrente do imaginário do povo europeu, propagado nas missões em terras tropicais e fortemente presente no vocabulário blasfêmico. De acordo com Trevor-Roper,

> os povos primitivos da Europa – como de outros continentes – tinham conhecimento de encantamentos e feitiços, e a noção de vôo noturno "com Diana ou Heródias" perdurou nos primeiros séculos cristãos, mas a substância essencial da nova demonologia – o pacto com Satã, o sabbat das feiticeiras, o intercurso carnal com os demônios etc. – e a estrutura hierárquica e sistemática do reino do Diabo constituem produto autônomo do final da Idade Média [...]. Uma vez deslanchada, esta mitologia ganhou ímpeto próprio. Estabeleceu-se como folclore, gerando suas próprias evidências, e atuando muito além de seu lugar de origem.[158]

Recorrendo a Satanás, um personagem mítico, dotado de destreza para ajudá-lo no jogo, e depois demonstrando contrição ao apresentar-se à mesa inquisitorial, Ignacio Peres Pereyra negociou com os dois representantes maiores da pedagogia utilizada pelo Estado/Igreja no controle de seus subordinados: o Diabo e a Inquisição.[159]

A implantação destes valores, transcendidos dos seus locais de origem, ganhava sentido na medida em que o cristianismo era propagado. Trilhando os mesmos caminhos reservados até então aos brancos, os africanos cristianizados absorviam crenças europeias segundo a sua visão de mundo. Conforme demonstra Selma Pantoja, no reino do Congo, desde o século XVI, esse processo acontecia de forma notável.[160] Enviados ao Brasil, muitos escravos

---

[158]Hugh R.TREVOR-ROPER. *A fobia às bruxas na Europa*. Religião e Sociedade., p. 33.
[159]Sobre a questão, ver Laura de Mello SOUZA. *O diabo e a Terra de Santa Cruz*. p. 97-100.
[160]Selma Alves PANTOJA, Selma Alves. Inquisição, degredo e mestiçagem em Angola no século XVIII. *Revista Portuguesa de Ciência das Religiões*. Lisboa, v. 1, n. 5, 2005, p. 117-136.

participaram da mesa inquisitorial, não somente como denunciados, mas regularmente como denunciantes, ou seja, acusando hereges por desobedecerem aos ensinamentos da *Mater Eclesia*.

Assim se deu aos 15 dias do mês de outubro de 1763, no Pará, na denunciação de João Vidal de Sam Joze, de 30 anos, nascido no Congo e de ofício de sangrador.

A blasfêmia, como já evidenciamos anteriormente, era quase sempre cometida por uma pessoa do sexo masculino, já que a ação é considerada como resultante de uma manifestação de energia e virilidade. Justamente por isso é normal encontrarmos nas denunciações e confissões homens blasfemadores. Contudo, na denúncia de João Vidal, são as mulheres quem cometem a torpeza deste pecado.

O grupo de mulheres denunciadas por Vidal era formado por Constança Maria, Joanna Mendes, sua cunhada Azeitona, Raimunda Mameluca e uma vizinha chamada Rosaura. Em sua denunciação, afirmou que Rosaura atirou o Rosário que tinha em seu pescoço, rompendo o cordão e jogando ao chão as contas pisoteando-as e blasfemando: "renegaua da SantiSima Trindade E da Virgem Maria Nossa Senhora"[161].

Ofender a um símbolo que remete diretamente a Virgem Maria, de acordo com o Livro V, título II das *Ordenações Filipinas*, configurava uma heresia média. No entanto, como a audaz ofensa de Rosaura se estendeu até a Santíssima Trindade, seu crime era inegável e sua blasfêmia era gravíssima. Constou João Vidal que repreendeu severamente Rosaura, mas a mesma não se importou. Disse João, lamentando-se, "não ter ahi huma imagem do Senhor Crucificado que tinha Em Sua caza para atirar Com ella Ao meio da Rua pêra que todos Uissem aquele desacato"[162].

Desde o Concílio Ecumênico de Niceia II, no ano de 787, a Igreja trata de forma rigorosa o respeito e a veneração à imagem religiosa como uma forma de indicação direta da pessoa que ela repre-

---

[161] *VEGP*, p. 163.

[162] *VEGP*, p. 163.

senta; neste caso, ao próprio Filho de Deus em sua entrega máxima na cruz. Rosaura e suas amigas blasfemadoras atingiam diretamente a forte representação religiosa da qual comungavam, renegando a fé de forma pública e, por isso, fitadas pelos olhares dos inquisidores. Palavras escandalosas, irreverências aos dogmas católicos, profanações de imagens e de símbolos sagrados. Dentre os aspectos analisados, a fé era renegada pela blasfêmia do colono pelos diversos motivos e circunstâncias que analisamos, considerando não somente o contexto político, mas sobretudo, a conjuntura religiosa que permeava a compreensão de mundo. Alguns foram punidos e pagaram os seus pecados; outros não foram atingidos pelos olhares dos inquisidores.

De toda forma, tudo indica que a blasfêmia campeava no Brasil de forma muito mais intensa do que a quantidade registrada nas atas inquisitoriais.

A blasfêmia era, afinal, uma verdadeira pedra no sapato dos padres do Santo Ofício. Desde a primeira visitação, em 1551, até a visitação de 1773, esta entorse continuava a desassossegar os juízes da fé. A blasfêmia se perpetuava e os inquisidores não conseguiam controlá-la. Afinal, todas estas maléficas palavras e gestos eram comparados à genuína besta arrogante, apocalíptica, o monstro disforme das Sagradas Escrituras: "Eu vi uma mulher, assentada em cima de uma fera escarlate, cheia de nomes blasfematórios"[163].

Perseguir blasfemadores não foi uma prática exclusiva da Inquisição. A blasfêmia está sempre ligada a uma ideia de ritual e, por isso, incomoda toda cultura preocupada com a pureza de cânones. E não se trata de um costume ultrapassado e exclusivo da Igreja Católica. Não faltam exemplos em outras religiões de reações violentas contra supostas blasfêmias e sacrilégios.

---

[163]BÍBLIA. N. T. Ap. Português. *Bíblia Sagrada...* cap. 17, versículo 3.

Parte 2

SOLLICITATIO AD TURPIAM
A PROFANAÇÃO DO CONFESSIONÁRIO

Capítulo 1

Historicidade da confissão
sacramental e sua missão salvífica

O cristianismo é, antes de tudo, uma religião de salvação. Do ponto de vista teológico, os padres da Igreja definiram a economia da salvação a partir de uma leitura do processo histórico da revelação de Deus à humanidade. Santo Irineu aponta uma trajetória de quatro tempos salvíficos: primeiro com Adão e Noé, regido pela lei natural; o segundo iniciado com Abraão e definitivamente concretizado em Moisés, quando este apresentou ao povo uma lei necessária à salvação; o terceiro tempo, preparado pela lei, constituiu uma função educativa; e por fim, a salvação se completa no quarto tempo, o da Igreja, culminado pelo retorno do Cristo[1].

Seriam estas as quatro formas de atividades da salvação: o brilho da divindade, a ação sacerdotal sob a lei, a simplicidade da encarnação e o Espírito Santo. Este anúncio, segundo Santo

---

[1]Ver diferentes passagens de Fernando Antonio FIGUEIREDO. *Curso de Teologia Patrística I*: a vida da Igreja primitiva, século I e II.

Agostinho, redimiria a humanidade e, por isso, devia ser ouvido por todos[2].

Para o historiador da cultura, os estudos referentes à salvação ultrapassam o âmbito religioso e abarcam os domínios das Ciências Sociais. Max Weber, por exemplo, explica que a crença salvacionista surgiu do sofrimento humano. A busca de cura das desventuras causadas pela fome, seca, doença ou perigo de morte, entre outras, originou formas supra-humanas de punições, penitências e abstinências: rituais tidos como sagrados, destinados a evitar ou eliminar os males relacionados ao indivíduo.

No bojo dos primeiros cultos religiosos, que atendiam às preocupações coletivas (ao deus do sol, da chuva, da caça, da colheita, da vitória contra os inimigos, por exemplo), o padecimento singular também gerou a figura do conselheiro espiritual, sujeito que estabeleceu a individualidade na relação entre o homem e seu deus (ou deuses). Essa espécie de feiticeiro/sacerdote passou a ser considerada uma encarnação de um ser sobrenatural, ou o seu profeta. Detinha, por esta razão, o conhecimento de salvação dos homens, o que também lhe deu a responsabilidade de aconselhar os indivíduos a terem um comportamento adequado que os conduzisse ao fim do sofrimento[3].

Foi exatamente na adoração dos profetas que surgiu uma religiosidade fundamentada no mito do salvador. Nas religiões mundiais[4], essas personagens tiveram proporções e formas variadas, mas em todas elas suas profecias desencadearam processos que culminaram no surgimento das "religiões de salvação". A

---

[2]AGOSTINHO. De catechizandis rudibus, c. IV, 8: pl 40, 316. *ap*. CONCÍLIO Vaticano II. Constituição Dogmática *Dei Verbum* sobre a revelação divina. *In*: _____. *Documentos do Concílio Ecumênico Vaticano II (1962-1965)*, p. 348.
[3]Max WEBER. Religião. *In*: _____. *Ensaios de sociologia* p. 309-346.
[4]Weber explica que as religiões mundiais são os sistemas de regulamentação da vida que, por serem determinados religiosamente, conseguiram reunir multidões de crentes. São elas o Confucionismo, Hinduísmo, Budismo, Cristianismo e o Islamismo. Ver Max WEBER. *op. cit.*, p. 309.

anunciação e a promessa de um ser divino, onipotente e justo, atingiam grandes massas que esperavam pelo fim dos seus males.

A promessa religiosa então estabeleceu uma ética na religião: uma conduta moral que leva o sujeito à tão esperada salvação, que é a recompensa dos infortúnios da vida e que pode ser atingida neste ou no outro mundo, o cobiçado paraíso. Mas, segundo Weber, a redenção ganhou significado, de fato, a partir do momento em que foram oferecidas doutrinas que explicassem as causas pelas quais os indivíduos precisavam ser salvos. Por apresentarem os motivos "concretos" para o homem buscar sua salvação, as doutrinas se transfiguraram em um elemento racional da vida prática[5].

Na religião católica, esse elemento racional que conduz o homem à salvação foi redefinido por Cipriano, que em meados do século III foi nomeado bispo de Cartago, cidade pertencente ao Império Romano no norte da África. Nos primórdios do cristianismo, a salvação cristã era expressa na relação pessoal Cristo-Verbo e criatura. Cipriano, no entanto, influenciado pelo contexto cultural romano que exaltava o valor das instituições, divulgou a salvação cristã fundamentada no binômio institucional Cristo-Igreja: "fora da Igreja não há salvação"[6]. Portanto, é na doutrina dos sacramentos da Igreja Apostólica Romana que os católicos encontram a graça redentora[7].

Nessa contextura, os sacramentos da Igreja Católica se transformaram em instituições salutares, via da salvação oferecida por Cristo aos homens. Já o clero tornou-se o mediador entre Deus e os homens. É neste significado que a confissão recebeu seu teor

---

[5]Max WEBER. *op. cit.*, pp. 309-346. Segundo o autor, na religião indiana a doutrina que leva à salvação é o Carma; para os calvinistas é a fé na predestinação; já os luteranos são justificados através da fé, simplesmente; e os católicos encontram a graça redentora na doutrina dos sacramentos da Igreja romana.

[6]CIPRIANO. *De unitate Ecclesiae*, PL 4,503A *In*: PAULO II, João. *Catecismo da Igreja Católica*, p. 58.

[7]A doutrina cristã da graça da salvação é discutida em diferentes passagens da obra Bernard S.J. SESBOÜÉ (dir.). *História dos dogmas*: o homem e sua salvação. Tomo 2.

sagrado. O batismo assegura ao indivíduo a redenção do pecado original, e se este voltar a pecar, a chance de sua salvação lhe é oferecida por meio do sacramento da penitência[8].

Nos séculos II e III, Tertuliano (155-222) difundiu o termo "confissão" como o procedimento penitencial completo, isto é, como o conjunto dos atos de reparação a serem efetuados pela Igreja e pelo pecador. A confissão oral dos pecados, portanto, era a parte inicial de um processo penitencial que objetivava a expiação das faltas. Para Ambrósio (340-397) e Agostinho (354-430), o julgamento do sacerdote valia como recompensa do perdão de Deus e a reconciliação do pecador com a Santa Sé, a *pax cum ecclesia*[9].

Assim, no início da Idade Média, a penitência já era considerada como um ideal de vida a ser seguido e sua prática tornou-se frequente. Revelar os pecados representava, entre outras coisas, o reconhecimento de um erro diante de Deus e de sua Igreja. A autoacusação daquele que se reconhecia culpado constituía, como ainda hoje, a condição indispensável para a obtenção do perdão. Para a Igreja, a confissão indicava, antes de tudo, o recebimento do sacramento da penitência. O vocábulo *confessio*, que designava a aceitação da penitência mediante a confissão perante Deus, passou a significar a *Mea Culpa* feita diante do sacerdote, tido como o emissário de Deus para a distribuição do perdão[10].

Esta longa tradição eclesiástica chegou até o século XIII preservando a sua originalidade enquanto um ato de humildade, um reconhecimento penoso do estado de pecador. A confissão auricular, face a face com um sacerdote, fazia parte da obra completa do procedimento penitencial iniciado com a contrição, seguido pela confissão e completando-se com a prática da penitência

---

[8] Ver Bernard S.J. SESBOÜÉ (dir.). *História dos dogmas*: o homem e sua salvação. Tomo 2.

[9] De Paen AMBRÓSIO. 2, 6, 40. AGOSTINHO. Tract. Jo, Ev. 12, 13; Tract. Ep. Jo. 1, 6. *In*: FRIES, H. (dir.). *Encyclopédie de la foi*. Tomo III. Paris: Cerf, 1966, p. 237 e p. 419.

[10] H. FRIES (dir.). *op. cit.*, p. 237.

indicada pelo sacerdote. Foi esta a razão de Tomás de Aquino (1204-1274) ter definido a confissão como um instrumento doutrinal de salvação[11] respeitando o duplo fim dos sacramentos: "aperfeiçoar o homem no que diz respeito ao culto de Deus, segundo a religião da vida cristã, e depois ser remédio para as deficiências causadas pelo pecado"[12].

As teses tomistas da confissão e dos sacramentos estavam em perfeita sintonia com a tradição cristã da penitência de sua época. Segundo esta, era o ato sacramental da penitência que oferecia o caminho da segunda salvação (a primeira era ofertada com o batismo), mas em troca disso, a Santa Sé exigia a confissão detalhada dos pecados cometidos por seu rebanho. Não obstante, o IV Concílio de Latrão, de 1215, já havia estabelecido que todo fiel, de ambos os sexos e com a idade da discrição, deveria confessar todos os seus pecados pelo menos uma vez por ano[13].

Com a mesma preocupação que a Igreja demonstrou com a prática da penitência, ela também se empenhou no preparo dos seus clérigos para realizá-la conforme a doutrina definida. O cânon 21 do encontro de Latrão salientou que a confissão representava a graça salvadora, e atribuir uma reparação significava derramar o bálsamo eficaz sobre as chagas provocadas pelos pecados humanos. Todavia, em muitos casos, os "médicos das almas" derramavam sobre as feridas dos penitentes um veneno corruptor e diabólico, induzindo-os ao pecado. Por este motivo, o concílio aconselhava que o confessor evitasse qualquer tipo de traição, fosse com palavras, sinais ou gestos; e exigiu do clero a obrigatoriedade moral de agir com a prudência de um verdadeiro "médico experiente" para ser ele um legítimo distribuidor da misericórdia de Deus para os contritos[14].

---

[11]Tomás de AQUINO. *Suma Teológica*. Tomo III. , q. 84, a. 1, ad. 1, 2, 3.

[12]Tomás de AQUINO. *Suma Teológica*. Tomo III. q. 65, a. 1.

[13]THÉO. *Nouvelle encyclopédie catholique.* , p. 954.

[14]THÉO. *op. cit.*, p. 954.

Este desassossego do IV Concílio de Latrão já revelava a ciência da cúria romana de que seu clero não tinha a formação necessária para intermediar a salvação dos mortais e, junto a este fator, a instituição ainda enfrentaria uma série de crises que, na época Moderna, culminaria na Contrarreforma.

Dentre os fatores de crise institucional, ainda no século XIII, surgiram as seitas "heréticas" dos albigenses, que exigiram a criação do Santo Ofício da Inquisição para combatê-las; no seio da própria Igreja, a ordem franciscana nasceu para celebrar a pobreza como valor cristão em oposição à riqueza e ostentação das igrejas; e entre 1378 e 1417, o processo que resultou no Grande Cisma do Ocidente viria a abalar profundamente a estrutura eclesiástica.

Concomitantemente a estes acontecimentos, o quadro de crise era intensificado pela distância existente entre o rebanho cristão e os preceitos da fé. Ao longo dos séculos XIV e XV, as práticas religiosas, principalmente o culto exterior dos sacramentos, que marcavam as passagens da vida do fiel, mesclavam os elementos culturais profanos das diversas regiões da Europa. Gradativamente, elas beiravam o paganismo, principalmente por que o clero, além de não interferir para manter o zelo dos dogmas católicos, participava das religiões "populares", uma expressão da carência de vocação sacerdotal e da sua má formação dogmática.

Não por outra razão, ao entrar no século XVI, a Igreja romana contava com um corpo ineficiente, em todas as esferas hierárquicas, para conduzir os fiéis à vida pregada pelo Evangelho. Esta situação fazia-se sentir no meio letrado europeu e possibilitou o surgimento, em tempos distintos, de uma gama variada de reações. A obra *Elogio da Loucura*, de Erasmo de Roterdã, é fruto deste cenário dramático de críticas ao estado moral da cristandade[15]:

---

[15]Sobre a crise institucional da Igreja Católica, na época Medieval e Moderna, ver Jean DELUMEAU *A civilização do Renascimento*. v. I e II; Jean DELUMEAU. *La Reforma*. Barcelona; e Ronaldo VAINFAS. *Trópico dos pecados*: moral, sexualidade e Inquisição no Brasil, p. 07-45.

É dessa forma que pretendem ser, como dizem eles, os nossos apóstolos, com toda a sua imundície, toda a sua ignorância, toda a sua grosseria, todo o seu descaramento (...). O mais ridículo, a meu ver, são os que se horrorizam ao verem dinheiro, como se tratasse de uma serpente, mas não dispensam o vinho nem as mulheres. Não podeis, enfim, imaginar quanto se esforçam por se distinguirem em tudo uns dos outros. Imitar Jesus Cristo? É o último dos seus pensamentos.[16]

Assim como Erasmo se referia aos clérigos com ironia e sarcasmo, François Rabelais utilizou-se da literatura para criticar o comportamento, a moral e as instituições da França Moderna. Suas "denúncias" envolviam a sociedade como um todo, o que não deixava de fora a condição do clero. Os cinco livros, que mais tarde compuseram a obra Gargântua e Pantagruel, circularam ao longo da década de 1530 e atacavam, entre outros aspectos, a vida monástica, a Santa Sé e os abusos por ela cometidos (e que Lutero já havia questionado). O autor despojava, sem pudor, os segredos "imorais" das pessoas que o cercavam, clérigos em sua maioria. Esses eram representados pela personagem frei Jean, que aparece em vários capítulos.

São, portanto, vários os ataques aos hábitos desses homens de fé. Em uma de suas falas, o frei advertiu os peregrinos que suas mulheres eram cuidadas pelos monges enquanto viajavam. Por isso, "basta a sombra da torre de um convento para engravidar"[17], porque os frades eram "vagabundos, (...) fingidos, hipócritas, beatos e outras seitas de gente que se disfarça como mascarados para enganar todo o mundo". Por trás de suas falsas

---

[16]Erasmo ROTERDÁ (1465-1536). *Elogio da Loucura*, p. 129-130.
[17]François RABELAIS (1490-1553). *Gargântua e Pantagruel*. Tradução de David Jardim Júnior, p. 189.

vidas devotas, "passam à tripa forra, Deus sabe qual, *et Curiós simulant, sed Bacchanalia vivunt*"[18].

Com ou sem esta personagem, Rabelais não deixou de chamar os heréticos de carne assada, satirizando a fogueira da Inquisição. Mencionou que os ladrões, os falsificadores, bem como os advogados prevaricadores, estavam ao lado dos diabos, e os estudantes e advogados eram protegidos por Lúcifer. Os frades, o prato predileto do rei dos diabos, pois eles esqueciam de recomendar a si mesmos nos sermões. Quanto ao papa, o autor o comparou com o diabo, ao se referir que o seu grão na terra é morto e comprido, sua corrupção é hereditária e é maldito no Evangelho; ainda satirizaram o Sumo Pontífice devido sua figura onipotente e suas raras aparições em público. Segundo o autor, para esconder sua cara patética e a vergonha do seu ofício[19].

Diferentemente de Rabelais, os adeptos da *Devotio Moderna* – movimento religioso que inspirava a meditação, a interiorização dos preceitos religiosos e a difusão do cristianismo pela multidão leiga – propunham reformas que preparassem o clero para o exercício pastoral e que estimulassem a devoção apostólica para, enfim, aproximar a Igreja do seu rebanho. Entre eles estavam Lutero, Calvino e Inácio de Loyola. O que diferia suas proposições, além do tempo e do espaço onde ocorreram, eram o teor e intensidade com que sugeriam essas transformações. Enquanto Loyola reunia-se com companheiros, na França, para estudar a fundação de uma nova ordem religiosa, Lutero e Calvino colocavam em xeque os dogmas católicos e negavam a autoridade papal, ou seja, suas propostas implicavam profundas reformas,

---

[18]As duas citações referem-se a François RABELAIS. *op. cit.*, p. 382-383. A frase em latim significa, de acordo com o tradutor da obra, "fingem ser Curiós, mas vivem nas bacanais".

[19]François RABELAIS. *op. cit.* As críticas feitas ao clero e ao papa podem ser vistas ao longo dos capítulos XLIV e LIV do Livro Quarto, "Dos fatos e ditos heróicos do nobre Pantagruel" (p. 721-754); e dos capítulos I ao VIII do Livro Quinto, "Dos fatos e ditos heróicos do bom Pantagruel" (p. 799-823).

também, dos costumes e da moral estabelecida. Daí Ronaldo Vainfas afirmar que protestantes e católicos partilhavam de um passado comum que havia afastado os cristãos dos preceitos morais da vida religiosa. O historiador observou que

> Os intelectuais de início do século XVI mostravam-se sobremodo inquietos com a decadência da cristandade, e desejavam com ardor aproximar a humanidade de Deus, qualquer que fosse a luta a ser travada com o Demônio. Tal foi a substância do Humanismo Cristão e, conseqüentemente, a da Reforma e da Contra-Reforma, do que resultou um vasto e ambicioso programa de evangelização de massas em todos os domínios da vida social e religiosa.[20]

Nesta contenda de almas, as reformas nasceram de um mesmo processo de longa duração da renovação do cristianismo. A mudança que Lutero propunha, entretanto, marcaria singularmente as reformas institucionais da Igreja de Roma.

O padre agostiniano publicou, em outubro de 1517, suas 95 teses para protestar contra os abusos materiais e morais exercidos pela Igreja frente ao declínio da vida monástica, decorrente da venda de indulgências e da má distribuição dos sacramentos. O padre dissidente defendia a ideia de que a salvação do homem não deveria ser buscada com obras ou pagamentos, e esta foi a questão central do seu rompimento com a Santa Sé. Na tradição cristã, como já mencionado, o homem só é salvo quando recebe os sacramentos, porque esses são os veículos que levam a graça salvadora de Deus aos mortais. Lutero, entretanto, entendia que, se o homem recebera uma graça de Deus, a justificação do seu pecado se daria por sua fé em Cristo, simplesmente.

Nessa direção, a concepção de Lutero sobre a justificação, rompia com a tradição dos teólogos latinos de que a Igreja e seus sacramentos eram instituições salutares capazes de livrar o cren-

---

[20]Ronaldo VAINFAS. *Trópico dos pecados*, p. 09.

te da danação eterna. Os reformadores, portanto, agravavam o quadro de crise institucional da Igreja Católica. No longo processo de renovação do cristianismo, as teses protestantes de Lutero, Calvino, Zwinglio, entre outros, evidenciavam a necessidade urgente de transformações na estrutura religiosa da Europa. Diante das dúvidas que se colocavam sobre a salvação das almas, a cúria romana precisava consolidar a sua doutrina para assegurar a unidade religiosa e trabalhar pela renovação intelectual do seu corpo sacerdotal. De fato, o movimento conhecido como Contrarreforma manifestou as inquietações da Santa Sé em estabelecer diretrizes para a conduta do clero e da sua grei. Neste mundo de contestações religiosas, a missão do corpo eclesiástico católico buscava o discernimento doutrinal separando o bom grão da erva daninha. A Reforma Católica almejava a determinação dos comportamentos e doutrinas a serem aceitas e quais eram contrárias e perniciosas aos preceitos da fé. Diante da perda de tantos fiéis que aderiram a Reforma, o papado se lançou na busca de novas almas para o patrimônio de Deus. Do ponto de vista institucional, o movimento reformista católico contaria com o papel desempenhado pelo Concílio Ecumênico de Trento, com o restabelecido Santo Ofício da Inquisição e com a recém-aprovada Companhia de Jesus: três pilares que promoveriam a reestruturação das bases da fé, a vigilância contra os "hereges" e o missionarismo.

No que diz respeito ao concílio, o papa Paulo III convocou, em 13 de dezembro de 1545, um encontro ecumênico na cidade de Trento a fim de reafirmar a doutrina católica quanto aos dogmas bíblicos, sacramentos, obrigações religiosas, culto aos santos e indulgências, entre outras questões dogmáticas e disciplinares que os concílios anteriores não haviam definido. Após 25 sessões, interrompidas várias vezes, sob a presidência do papa Pio IV, em 4 de dezembro de 1563 a estrutura da Igreja havia sido reformada em todos os seus níveis.

A documentação deste concílio deixa evidente a aspiração do papado de combater as heresias protestantes e de consolidar os dogmas questionados pelos reformados. Já no seu primeiro período, compreendido entre 1545 e 1547, foram realizadas dez sessões onde se estabeleceu, entre outros, os decretos sobre o pecado original, a salvação (justificação), e os sacramentos, exatamente os preceitos impugnados por Lutero.

Em linhas gerais, os temas debatidos demonstram que havia não apenas a necessidade de se invalidar as teorias nocivas aos preceitos católicos, como também de legitimar a Igreja como instrumento salvífico, o que exprimia a dependência dos homens a essa instituição. Mais uma vez se consolidava a máxima de que fora da Igreja não haveria salvação.

Na quinta sessão do concílio, por exemplo, foi instituído o decreto sobre o pecado original e declarado que seria excomungado aquele que não acreditasse que este pecado era uma herança culposa de Adão, o primeiro a romper com a graça divina[21]. Já na sexta sessão divulgou-se o decreto sobre a salvação, ou a justificação dos pecados. Baseados no apóstolo Paulo, mesma fonte de inspiração de Lutero quando de sua redação da doutrina da justificação, os conciliares definiram que a justiça de Cristo não se dava pela fé, mas através dos sacramentos da Igreja, uma evidente manobra para a sacralização institucional. Nesse documento, o batismo aparece como o sacramento que garante a salvação primeira, ou seja, que justifica o pecado original: a salvação "não se pode conseguir (...) sem o batismo"[22].

É justamente no decreto sobre a salvação que aparece a primeira menção do sacramento da penitência: a confissão. Quando o documento menciona que o batismo oferece a primeira oportunidade redentora, fica determinado que, tendo o justo recebido essa graça e caído em pecado, poderia "novamente salvar-se pelos méritos de Jesus Cristo, procurando, estimulados com o auxílio divino, recobrar a graça perdida, mediante o sacramento da Penitência"[23].

---

[21]*DCTI*: Sessão V, p. 01.
[22]*DCTI*: Sessão VI, p. 02.
[23]*DCTI*: Sessão VI, p. 06.

Isso demonstra que os prelados católicos asseguraram o papel salvífico da confissão, orientando que o indivíduo, uma vez batizado, deveria levar uma digna vida cristã para justificar a graça da salvação. Ainda assim, tinha que ser vigilante em sua conduta e pautar sua vida nos mandamentos de Deus[24].

Na "Doutrina do Santo Sacramento da Penitência", elaborada oito sessões adiante, foi preservada também a característica básica da prática penitencial, ou seja, a necessidade da contrição ou arrependimento, da declaração humilde dos erros, e da absolvição mediante a prática da penitência imposta pelo padre. Cabia ao confessor aplicar a sentença mais justa e proporcional à gravidade da culpa, sem o relaxamento da pena espiritual[25].

Nesse propósito, a maior preocupação da Igreja foi a de assegurar, pelo teor salvífico do sacramento, o que lhe permitia utilizá-lo como um meio de controle de sua rês, como sugere Jean Delumeau. O historiador aponta que o pecado e o medo foram utilizados pela Igreja como veículos da culpabilização das consciências, o que tornava o rebanho cristão dependente da instituição: para o fiel, buscar o perdão divino no confessionário era a garantia do sentimento de segurança, condição psicológica indispensável ao enfrentamento do medo, da culpa pelo seu pecado[26]. Delumeau explica, ainda, que a Igreja oferecia manuais de confissão que estipulavam quais perguntas o padre deveria fazer e que respostas seriam dadas pelo fiel no ato confessional.

Deste modo, a confissão extrapolava a intimidade daquele "tribunal de penitência", porque o discurso normativo dos manuais estabelecia uma mentalidade coletiva; e esta, por sua vez, ditava as condutas do cristão no seu núcleo familiar e, principalmente, em seu meio social[27].

---

[24]*DCTI*: Sessão VI, p. 06.

[25]*DCTII*: Sessão XIV, p. 01-07.

[26]Jean DELUMEAU. *O pecado e o medo*: a culpabilização no Ocidente (séculos 13-18). v. I e II.

[27]Jean DELUMEAU. *L'aveu et le pardon*. Les difficultés de la confession, XIIIe-XVIIIe siècle.

Seguindo a orientação de Delumeau, pode-se considerar que, de um lado, o confessionário era (como ainda é) um local sagrado para o catolicismo. Tanto o significado teológico quanto o cultural do termo remete àquilo que é inviolável, puro, santo, derivado da criação divina, potencialidade que está acima de toda criatura e valores humanos. Assim sendo, promover atos mundanos impróprios à dignidade do confessionário maculava-o, já que, simbolicamente, feria seu propósito redentor; e anulava aquele poderoso instrumento de reconduzir os cristãos à ortodoxia da religião.

Capítulo 2

Os padres confessores e
o *libidinen* do confessionário

A função prática atribuída à confissão enquanto controle da fé aumentou a importância do corpo clerical na sua tarefa de intercessor da salvação. Na mesma proporção, avolumava a responsabilidade dos bispos e diretores espirituais na atuação concreta de formar um clero competente para exercer a cátedra de verdadeiros clínicos da alma.

Entre os objetivos das autoridades tridentinas e a realidade vivida nas igrejas, entretanto, havia um grande fosso, preenchido, muitas vezes, com os sentimentos mundanos que envolviam o padre durante o ato da confissão sacramental. O confessionário podia tornar-se um local de pecado que confundia as consciências tanto do confessor quanto do penitente. O caso de Violante Tavares, mulher de João de Almeida, ilustra adequadamente as controvérsias do confessionário. Eis a sua história:

No dia 30 de março de 1636, Manuel de Sea, comissário do Santo Ofício e cura da Sé de Portalegre, em Portugal, registrou nos cadernos da Inquisição de Évora que Violante denunciou o padre Gaspar Fernandes, acusando-o de tê-la solicitado a cometer com ele atos obscenos durante a confissão[28].

Violante Tavares tinha 25 anos quando revelou, no tribunal do Santo Ofício, suas aventuras no confessionário da igreja de Santa Maria, do Colégio da Companhia de Jesus, onde residia o padre Gaspar. Ela tinha 17 anos quando começou a frequentar o confessionário "aberto na parede da sacristia da igreja".

---

[28]IAN/TT, Inquisição de Évora, Cadernos do Promotor 146/3/7, fl. 43. *ap.* Antônio Borges COELHO. *Inquisição de Évora*: dos primordios à 1668. v. I., p. 278.

Padre Gaspar, segundo a narrativa desta jovem mulher, lhe havia dito, nesta ocasião, "palavras brandas e fora de propósito", declarando-lhe seu amor e a grande atração que ela exercia sobre ele. Com "requebros e amores, gabando a ela testemunha de formosa", o confessor sedutor chegou mesmo a afirmar-lhe que "nunca vira mulher de tantas partes e perfeições e que, por seu amor, iria ao cabo do mundo e faria todos os extremos".

Tais declarações apaixonadas tornavam-se cada vez mais intensas, a ponto de o padre ousar pedir à sua penitente amada, "com muitas palavras brandas amorosas", que colocasse uma de suas mãos num dos largos orifícios do confessionário. Violante declarou aos inquisidores de Évora que ela não tinha a intenção de aceitar tal proposta, mas "por se ver livre de suas importunações, meteu ela, testemunha, a mão por uma das aberturas e frestas do confessionário, as quais eram de bastante capacidade".

O padre

> lhe tomou a mão com a sua e lhe fez muita festa da parte de dentro do dito confessionário, chegando-a a seu rosto, beijando-a com muita brandura, metendo-a em sua própria boca e usando de muitas outras molícias.

O confessor impudico "não largou a mão a ela testemunha senão depois que mostrou ter satisfeito de seu apetite sensual".

Os inquisidores concluíram, depois do relato da penitente, que o padre Gaspar Fernandes havia cometido um crime gravíssimo, um pecado comparado à blasfêmia, pois ele havia profanado o santo sacramento da penitência, solicitando esta mulher e consumando sua intenção num local sagrado. Uma vez contentado o seu desejo ardente, o confessor, para abrandar o peso de sua consciência, "fora fazer um ato de contrição, diante do crucifixo, do pecado que tinha feito, para poder absolver em graça"[29].

Esta cena se repetiu "sete ou oito vezes", uma cifra bastante elevada para uma mulher que dizia insistentemente "que não queria

---

[29]IAN/TT: Inquisição de Évora, Cadernos do Promotor 146/3/7, fl. 43. *ap.* COELHO, Antônio Borges. *op. cit.*, p. 278.

aceitar". Eis aí o crime do confessionário: "a mais sutil máquina que o demônio podia imaginar contra o sacramento da Penitência"[30]. Seu nome? *De sollicitatione ad libidinem in actu confessionis.*

O confessionário, grande voga do século XVI, foi inventado para assegurar à confissão, o segredo e a discrição: "esta curiosa edícula que nos parece hoje tão arcaica, era então o último grito da moda"[31]. O penitente se apresentava de joelhos diante do confessionário. O padre estava sentado. Eles ficavam separados por uma divisória contendo uma abertura que, frequentemente, era coberta por uma grade[32]. Todavia, o confessionário do padre Gaspar, da igreja de Santa Maria, era munido de amplas "aberturas e fendas", sem nenhum *craticulum* que pudesse impedir a passagem de uma mão audaciosa.

Neste mesmo confessionário, outros dois sacerdotes solicitaram a irmã de Violante Tavares, a religiosa Angela de São Miguel, da ordem de Santa Clara. Ela fez denúncia à Inquisição de Évora, afirmando que havia sido solicitada pelo padre Simão de Abrantes, o reitor do colégio que, também ele, havia pedido sua mão para fazer alguns "afagos e carícias"[33]. O outro confessor era o padre Domingos Rijo, que lhe pediu a mesma coisa, mas a irmã Angela refutou a obedecer e recusou-se firmemente a colocar sua mão nos famosos buracos da sacristia[34].

Outro Domingos, padre domiciliado em Travessos, termo da vila do Monte Alegre, no arcebispado de Braga, foi denunciado à Inquisição de Coimbra por Custódia Carneira, 30 anos, mulher

---

[30]Marcelino Menéndez PELAYO. *Historia de los heterodoxos españoles.* Tomo IV. Lib. V. p. 239. *ap.* Michèle ESCAMILLA-COLIN. *Crimes et chatiments dans l'Espagne Inquisitoriale.* tome 2. p. 167.

[31]Michèle ESCAMILLA-COLIN. *op. cit.,* p. 172.

[32]THÉO. *op. cit.,* p. 955.

[33]IAN/TT: Inquisição de Évora, Cadernos do Promotor 146/3/7, fl. 46. *ap.* COELHO, Antônio Borges. *op. cit.,* p. 278.

[34]IAN/TT: Inquisição de Évora, Cadernos do Promotor 146/3/7, fl. 46. *ap.* COELHO, Antônio Borges. *op. cit.,* p. 278.

de João Francisco. Maria revelou aos inquisidores que, em 1716, no mês de maio, ela tinha ido se confessar com o padre Domingos Gonçalves dos Santos e que, durante o sacramento, o clérigo lhe perguntou se ela tinha filhos. Maria Custódia respondeu que não os tinha. Então, o confessor lhe propôs de se encontrar com ele, sugerindo com ousadia que, talvez, ela pudesse gerar filhos. Continuando seu discurso "torpe e desonesto", a penitente lhe falou que tais palavras não eram apropriadas e que o seu esposo poderia vir a saber. O padre não se intimidou e, para tranquilizá-la, respondeu que seu marido jamais saberia daquele diálogo secreto.

Maria Custódia denunciou seu confessor, que foi encarcerado e depois condenado a seis anos de degredo para o Brasil. No dia 17 de fevereiro de 1717, padre Domingos foi levado para a prisão dos banidos pelo familiar Luis Teixeira. Após dois meses, foi entregue ao capitão Manuel Saldanha Marinho, mestre do navio Nossa Senhora da Conceição. Seu destino foi a Bahia de Todos os Santos, onde se apresentou à João Calmon, chantre da Sé da Bahia e comissário no Brasil do Santo Ofício da Inquisição de Lisboa[35].

Relatar os próprios pecados era a condição indispensável para o sucesso de uma boa confissão sacramental. Confessando, o penitente demonstrava que ele não queria ser identificado com o pecado. Mas, para receber a graça divina, esta confissão devia ser exata, objetiva e transparente. Era necessário se autoacusar, uma a uma, as faltas cometidas. O bom confessor deveria ajudar o penitente a revelar seus erros em profundidade, discernindo os vários aspectos como um "obstetra espiritual"[36]. A pedagogia do confessor seria a de extrair gradativamente os mais recônditos vícios. Os confessores mais experientes sabiam que, frequentemente, o fato de revelar suas misérias podia gerar, no penitente, a complacência ou o escrúpulo[37]. Para estimular os fiéis a frequentarem com

---

[35]IAN/TT: Inquisição de Coimbra, processo 8284: Domingo Gonçalves dos Santos.
[36]Jean DELUMEAU. *L'aveu et le pardon*. p. 22.
[37]THÉO. *op. cit.*, p. 955.

regularidade o confessionário, Jean Pierre Camus (1582-1652) exortava-os com as seguintes palavras: "não existe música mais harmoniosa aos ouvidos de Deus que as notas piedosas de uma santa confissão"[38].

O clero, primeiro "braço" do reino português, beneficiava-se de uma lei própria estabelecida pelo Direito Canônico. Todavia, quando se tratava da *sollicitatio ad turpiam*, eles eram julgados pelos tribunais inquisitoriais. O papa Clemente VIII, no dia 12 de janeiro de 1599, autorizou a Inquisição em Portugal a se ocupar dos sacerdotes que, na confissão sacramental, solicitavam mulheres penitentes para a consumação de atos pervertidos[39].

O breve pontifício de 1599 foi complementado por outro, desta vez do papa Paulo V, que concedeu ao Santo Ofício, no dia 16 de setembro de 1608, o direito de resolver os crimes de solicitação[40]. Um decreto da Santa Sé, do dia 29 de novembro de 1612, concedido por uma carta do cardeal Millino, datada aos 2 de fevereiro de 1613 e enviada ao inquisidor-geral, d. Pedro de Castilho, do Santo Ofício português, autorizou a condenação dos padres confessores que solicitavam, além das mulheres, também os homens durante o ato sacramental[41].

O *Regimento inquisitorial* de 1640 incorporou no seu conteúdo o direito de se suprir os crimes dos solicitantes. O delito é tratado no capítulo IX, título V, "Dos que solicitam os penitentes

---

[38]Jean-Pierre CAMUS. Homélies... p. 339. *ap.* Jean DELUMEAU. *Le péché et la peur*. La culpabilisation en Occident (XIIe-XVIIIe siècles), p. 519.

[39]BNL: Sala dos Reservados, cód. 105A, fls 84-87: Coletório de Bulas e Breves Apostólicos, Cartas, Alvarás e Provisões Reais que contém a instituição e progresso do Santo Ofício em Portugal (1634).

[40] Michèle ESCAMILLA-COLIN. *op. cit.*, p. 168.

[41]Sobre a questão, ver Lana Lage da Gama LIMA. Guardiões da Penitência: o Santo Ofício português e a punição dos solicitantes. *In*: Anita NOVINSKY; Maria Luiza Tucci CARNEIRO (orgs.). *Inquisição*: ensaios sobre mentalidades, heresias e arte, p. 740.

no sacramento da confissão"[42]. Neste *Regimento*, nenhuma punição explícita é atribuída aos padres cortesãos. Esta tarefa era reservada diretamente aos inquisidores, que, segundo a "qualidade, a pessoa e as circunstâncias" do crime, aplicavam os castigos aos desviantes. O *Regimento* de 1640 declarava:

> Por Breves dos Summos Pontífices Pio IV e Gregório XV pertence ao S. Ofício privativamente conhecer o crime dos que solicitam na confissão, e castigar os culpados nelle. Portanto, se algum confessor no acto da confissão sacramental, antes, ou immediatamente depois delle, ou com ocasião e pretexto de ouvir de confissão, no confessionário ou no lugar deputado para a ouvir, ou em outro escolhido para esse effeito, fingindo que ouve de confissão, commetter, solicitar, ou de qualquer maneira provocar actos illicitos e desonestos, com palavras ou com tocamentos desonestos para si ou para outrem as pessoas, que a elle se forem confessar, assim mulheres como homens (...).[43]

E se este "indigno ato" fosse provado por testemunhas, este padre seria castigado, segundo os breves apostólicos e de acordo com a qualidade e as circunstâncias dos seus atos. As punições podiam ir desde a suspensão dos direitos eclesiásticos até a condenação às galés para os "solicitantes relapsos", isto é, para os reincidentes[44].

Para evitar as armadilhas do confessionário, e para melhor instruir os padres nesta difícil tarefa de perdoar os penitentes, vários manuais de confissão foram escritos e publicados. Estes guias de teologia moral eram geralmente alicerçados sobre os dez

---

[42]*RSOI*: Livro III, título XII: Dos blasfemos e dos que proferem proposições heréticas, temerárias ou escandalosas.

[43]*RSOI*: Livro III, título XVIII: Dos confessores, solicitantes no sacramento da confissão.

[44]*RSOI*: Livro III, título XVIII: Dos confessores, solicitantes no sacramento da confissão.

mandamentos da lei de Deus, os sete pecados capitais e os sete sacramentos da Igreja. Com discernimento, o confessor entrava nos detalhes da vida pecaminosa do penitente: avareza, blasfêmia, cupidez, ódio, crueldade, ingratidão, falso testemunho, hipocrisia[45] e, ao mesmo tempo, ele devia instruí-los nas regras da boa conduta cristã através dos sete sacramentos (batismo, confirmação, reconciliação, eucaristia, casamento, ordem, unção dos enfermos), e nas quatro virtudes cardinais (justiça, temperança, prudência e fortaleza)[46].

O *Espelho dos penitentes*, escrito por João da Fonseca, editado em Évora, em 1687, revela a identidade da doutrina do confessionário que os padres e os fiéis deviam manusear para se instruírem acerca da eficácia deste sacramento:

> Aqui se te oferece aos olhos (benévolos do autor) um espelho pelo qual podes apurar tua consciência e reformar tua vida por meio de uma confissão bem feita, nele acharás as condições necessárias para te dispores a fazê-la como convém, para que te oferece um copioso interrogatório, que te pergunta e mostra o que cometeste contra os mandamentos da lei de Deus e da Santa Madre Igreja para que, examinando por ele tua consciência, a possas purificar com uma verdadeira confissão, e purificado de tuas culpas possas gozar da união com Deus por meio da graça, que no sacramento da penitência se comunica, e da paz interior de tua alma, e da alegria, que dela nasce, que é só a verdadeira, que a do mundo toda é falsa e mentirosa.[47]

As sumas de confissão ensinavam aos confessores como administrar o sacramento e, aos fiéis, como receber a penitência. Vários são os manuais do confessor publicados em Portugal na

---

[45]THÉO. *op. cit.*, p. 829.
[46]THÉO. *op. cit.*, p. 825 e p. 946-968.
[47]João da FONSECA. *Espelho dos Penitentes*. p. 4.

época da Inquisição: 57 edições no século XVI; 20 no século XVII; e, ainda, 4 no século XVIII[48].

O mais antigo tratado de penitência português do qual temos conhecimento é aquele escrito em 1489 por um autor desconhecido. Neste manual, encontram-se as perguntas principais que permitem aos sacerdotes conhecer as circunstâncias que conduziram o fiel ao pecado: Quem? O que? Onde? Por quem? Quantas vezes? Por quê? Como? Quando?

Uma vez respondidas todas estas perguntas, o conjunto das circunstâncias determinava a gravidade do pecado: venial ou mortal. Esta bateria de perguntas, este minucioso interrogatório, era comum a todos os manuais de confissão e representava um verdadeiro instrumento pedagógico para estabelecer a conjuntura do pecado[49].

A Igreja, no século XVII, principalmente devido à sua longa experiência penitencial, tinha pleno conhecimento de que o ato da confissão particular podia ser muito delicado e perigoso. O *Manual dos Confessores e Penitentes*, editado em Coimbra no ano 1552, mostrava-se particularmente sensível a esta sutil situação. A confissão auricular podia induzir o padre confessor que, pela "graça do sacramento", era o depositário da indulgência celeste a transformar-se em um sacrílego pecador.

O sacerdote, mesmo estando separado do penitente por uma grade ou divisória, na realidade, estava fisicamente muito próximo dele. O fiel, com sinais de arrependimento, os olhos baixos e a cabeça levemente inclinada se dirigia ao padre: "ai de mim, pecador! Ai de mim, miserável! Lembrai-vos, senhor, que sou terra, que sou pó, que sou cinza... Desatai as prisões de meus pecados antes que me levem arrastado para o inferno"[50].

Tal proximidade, o silêncio da igreja ou da sacristia, o fato de escutar e de falar em voz baixa sobre assuntos tão sensíveis e in-

---

[48]Ver a relação completa dos manuais de confissão na Bibliografia.

[49]N. TENTLER. *Sin and Confession on the Eve of the Reformation*, p. 116-120. *ap.* Jean DELUMEAU. *L'aveu et le pardon*, p. 92.

[50]João da FONSECA. *Espelho dos Penitentes*, p. 10.

quietantes, podia provocar, no confessor e no penitente, o desejo da carne. O Manual de Confessores e Penitentes, comentado por Azpilcueta Navarro, professor sucessivamente em Cahors, Toulouse, Salamanca e Coimbra, estava bastante consciente de que o fato de instruir, pregar e confessar, obrigava a ler, ver, escutar e pronunciar algumas palavras que provocavam a excitação e muitas vezes a poluição[51]. Neste caso, se tal ejaculação fosse involuntária, o pecado não seria consumado; porém, se fosse intencional, o deslize era considerado culposo[52], pois o confessor havia se deleitado com tais obscenidades para si ou para o seu penitente[53].

Martim de Azpilcueta, parente de são Francisco Xavier e conselheiro de três papas, possuía um imenso conhecimento das doutrinas e costumes relativos à confissão. Ele foi, neste campo, um verdadeiro especialista da segunda metade do século XVI e início do XVII[54]. O manual comentado pelo "doutor de Navarra" foi, ao que tudo indica, o mais utilizado em Portugal no decorrer do século XVI.

Os guias dos confessores, com a intenção de mostrar as graduações dos pecados, geralmente eram obrigados a fazer uso de uma linguagem provocatória, quase erótica. Faca de dois gumes; ambiguidade necessária para o aprofundamento do colóquio. As tentações da carne, por exemplo, constituíam um verdadeiro rol dos pecados explicados num linguajar direto e claro, podendo provocar fantasias nos espíritos até menos sensuais.

Para avaliar o teor das ofensas a Deus e à sua Igreja, os confessores deviam escavar o diálogo com os penitentes. Os manuais orientavam estes diretores de almas para um caminho de intimidade espiritual com os fiéis, com o objetivo de facilitar a confis-

---

[51]Ver *ANMC.*
[52]Angelo da SERQUEIRA. *Penitente Arrependido,* p. 68-70. O autor deste manual nasceu no Brasil, em São Paulo, e pertencia à Ordem de São Pedro.
[53]João da FONSECA. *Espelho dos Penitentes,* p. 84.
[54]Jean DELUMEAU. *L'aveu et le pardon,* p. 85.

são de todos os pecados, mesmo aqueles mais voluptuosos. O penitente dizia: "padre, aqui há de ter paciência para ouvir as minhas maldades, porquanto tenho sido o pecador mais depravado de todos os que nasceram no mundo". E o confessor: "filho, console-se, não se aflija, que eu o ouvirei com muito gosto e o tratarei com afabilidade, sem me admirar de cousa alguma, do que V. M. me poderá dizer; porque sou homem como V. M. e conheço muito bem a suma fragilidade do nosso barro"[55].

Esta familiaridade espiritual podia, algumas vezes, transformar-se numa conivência e conduzir o padre a uma intimidade que ia muito além daquela espiritual proposta pelos manuais. Muitas vezes, os confessores, com o intuito de endireitar os erros cometidos pelos fiéis, queriam prolongar as penitências até mesmo aos parceiros envolvidos no pecado: "Quem? Quantas vezes? Como?"

Havia, certamente, confessores justiceiros neste tribunal espiritual e muitos deles foram punidos por terem abusado da confissão, como foi o caso do padre Manuel Carreira Matoso e do frei Antônio de São José. Ambos, durante o ato sacramental da confissão, perguntaram insistentemente os nomes dos cúmplices no pecado para depois os castigarem. Padre Manuel tinha 63 anos e foi condenado a um degredo de oito anos na cidade de Braga; e o frei Antônio, 37 anos, foi banido por 8 anos para um convento bem distante daquele que residia[56].

---

[55]Jaime de CORELLA. Practica do confessionário, e explicação das proposiçoens condenadas, sua matéria, sua forma, hum diálogo entre confessor e penitente. Composta pelo reverendíssimo padre mestre fr. Jayme de Corella, lente de theologia, missionário apostólico, ex-provincial da província dos Capuchos do Reyno de Navarra. Traduzida em Portuguez pelo padre Domongos Rodrigues Faya. *ap.* Angela Mendes de ALMEIDA. *O gosto do pecado*: casamento e sexualidade nos manuais de confessores dos séculos XVI e XVII, p. 64.
[56]IAN/TT: Conselho Geral do Santo Ofício, Livro 435, caixa 178: padre Manoel Carreira Matoso, auto da fé do dia 26-11-1750, e frei Antônio de São José, auto da fé do dia 15-01-1755.

Além de diretores de consciência, os confessores exerciam a função de verdadeiros juízes espirituais. A Igreja também lhes aconselhava a serem pais para os pecadores que os padres acolhiam em seus confessionários. A este propósito, são Francisco de Sales (1567-1622) lembrava aos sacerdotes que eles deveriam ser pacientes e caridosos: "não esqueçam que os penitentes, no início de suas confissões, vos chamam de pai e de fato vos deveis ter um coração paterno"[57].

Mesmo que houvesse sempre uma penitência – pois era este o instrumento da purificação –, a preocupação com a misericórdia estava sempre presente nos manuais do confessor. O corretivo não devia ser "nem grande que não se possa fazer, nem pequeno, que não se deixe de pecar". Provocar o temor era o método mais eficaz: "deve-lhe pôr grande medo do fogo do inferno caso não confesse todos os pecados"[58] e, ao mesmo tempo, ser "benigno, amável e misericordioso"[59].

Para o padre Sebastião Dias Nogueira, a tentação da carne foi mais forte que o "medo do fogo do inferno". No confessionário da igreja da Misericórdia, ele solicitou, por várias vezes, algumas mulheres durante a confissão sacramental. O padre Sebastião tinha 37 anos e era capelão da Santa Casa da cidade de Aveiros quando foi condenado pela Inquisição de Coimbra, no dia 11 de setembro de 1693. Sua pena foi de cinco anos de degredo para o Brasil. Além do mais, ele foi proibido de exercer seu sacerdócio durante seis anos, e impedido, para sempre, de confessar[60].

Geralmente, o pecado da carne era uma das principais faltas que conduzia os fiéis ao confessionário. A Igreja sempre aconselhou

---

[57]Francisco de SALES. *Avertissements aux confesseurs...* Tomo 23, p. 281. *ap.* Jean DELUMEAU. *L'aveu et le pardon,* p. 27.

[58]As duas citações se referem a José V. de Pina MARTINS (org.). *Tratado de confisson.* Editado em Chaves, em 1489, de autor desconhecido. Introdução e estudo bibliográfico de José V. de Pina Martins, p. 199.

[59]*ANMC,* p. 64.

[60]IAN/TT: Conselho Geral do Santo Ofício, Inquisição de Coimbra, livro 433.

que o seu rebanho fosse muito vigilante com relação às emboscadas das tentações. Existem 16 categorias de pecados diretamente ligados às questões sexuais: beijo impuro; toque impuro; fornicação; engano, que era entendido como a sedução de uma virgem; adultério simples, quando um só dos parceiros é casado; duplo adultério, isto é, quando os dois parceiros são casados; sacrilégio voluntário, o que quer dizer a situação quando um dos parceiros pronunciou os votos religiosos; rapto e estupro de uma virgem; rapto e estupro de uma mulher casada; rapto e estupro de uma religiosa; incesto; masturbação; posições inconvenientes; e bestialidade[61].

As regras da Santa Sé registradas nos manuais do confessor eram nítidas: "todo prazer que nasce da união carnal é desordenado (exceto a união matrimonial); portanto, todo querer, todo desejo do prazer (exceto a união matrimonial) é pecado"[62]. A sexualidade que a Igreja combatia para mantê-la unicamente depois do sacramento do matrimônio ameaçava a integridade moral dos próprios clérigos pregadores que eram, muitas vezes, vítimas de seus próprios sermões moralizadores. As palavras de contrição reservadas aos penitentes eram, em certas circunstâncias, pronunciadas pela boca destes confessores *ad turpiam*: "pequei fazendo com algumas pessoas... pondo-lhes as mãos por lugares desonestos e elas a mim, cuidando e falando em más coisas"[63].

Com exceção dos casos particulares, principalmente o perigo de morte, as confissões eram feitas sempre dentro da igreja, lugar de recolhimento e de oração. Mas estes templos sagrados destinados aos cultos religiosos eram, às vezes, profanados e tornaram-se, também, lugares para encontros mundanos. As igrejas portuguesas na época da Inquisição, além de casa de oração, eram verdadeiros *points* da vida social de então. Eram nas igrejas que as famílias de classe média organizavam o encontro entre suas filhas

---

[61]Jean DELUMEAU. *Le péché et la peur...*, p. 226.
[62]*ANMC*, p. 75.
[63]José V. de Pina MARTINS (org.). *op. cit.*, p. 189.

e os pretendentes ao casamento. As igrejas eram também lugares de reuniões, de negociações e de fofocas.

Tais excessos inquietavam os bispos e, por ordem do núncio Francisco Nicolini, os padres portugueses foram aconselhados a incluírem, em seus sermões, a recomendação aos fiéis de que não conversassem nas igrejas e "muito menos em voz alta e descomposta, entre homens e homens e entre mulheres e mulheres e, de maneira alguma entre homens e mulheres"[64].

No entanto, tais encontros continuaram e a rainha regente, em 1657, ordenou que os transgressores destas ordens fossem severamente punidos. Mais tarde, ao que tudo indica, os *rendez-vous* nas igrejas ainda persistiam: novos decretos foram publicados em 1658, 1659, 1662 e 1667. Além dos encontros extras religiosos, as igrejas eram também utilizadas para espetáculos profanos:

> nas festas mais solenes, o Santíssimo Sacramento estando exposto logo após o serviço religioso, vinham mulheres ricamente ornamentadas que, ao som de violas e casta-nholas, dançavam e cantavam canções profanas, entre mil posturas indecentes e impudicas.[65]

Ainda mais: muitas mensagens e bilhetes eram trocados no próprio confessionário.

Mesmo sendo a casa de Deus, as igrejas se transformavam no simulacro de Satã, sobretudo no caso em que os padres solicitantes viravam ao avesso o objetivo sacramental, como coerentemente apontou Lana Lage da Gama Lima: "a confissão, instrumento de sujeição à Regra, torna-se instrumento do próprio desejo. Caindo em sua própria armadilha, o confessor aca-

---

[64]Fernando CASTELO-BRANCO. *Lisboa seicentista*, p. 178.
[65]Charles DELLON. *Relation de l'Inquisition de Goa*. Paris: chez Daniel Horth-emels, p. 288.

ba seduzido pelo discurso que ele mesmo incita, e, de censor, transforma-se em agente do pecado"[66].

Lana Lage, em outro estudo intitulado *Confissão e controle social na Idade Média e nos Tempos Modernos*, demonstra que,

> conscientes do poder imenso que o controle da absolvição e, conseqüentemente, do acesso à eucaristia, lhes conferia, os guardiões das chaves da salvação por vezes o utilizavam para fins inconfessáveis, como nos revela a documentação inquisitorial relativa aos solicitantes. Caracterizada quando um confessor fazia propostas amorosas e/ou sexuais ao penitente, a solicitação (*solicitatio ad turpia*) era delito punido pelo Santo Ofício da Inquisição, inclusive em terras brasileiras, e deu origem à produção de uma vasta documentação, que revela situações muito esclarecedoras sobre a prática do sacramento da penitência.[67]

O padre Manuel Botelho foi um destes confessores que, no final do século XVII, se deleitou com suas filhas espirituais. Botelho era um clérigo do hábito de são Pedro e vigário da vila de Tavares, no arcebispado de Viseu. Foi preso e levado para os cárceres secretos da Inquisição de Coimbra. Imediatamente, foi-lhe feito um interrogatório, no qual seus erros foram detectados. Ele declarou que, durante o ato da confissão, havia solicitado várias

---

[66]Lana Lage da Gama LIMA. Aprisionando o desejo. *In*: Ronaldo VAINFAS (org.). *História da sexualidade no Brasil*. p. 88.

[67]Lana Lage da Gama LIMA. Confissão e controle social na Idade Média e nos Tempos Modernos: uma visão comparativa. *In*: *Anais do XI Encontro Regional de História da Associação Nacional de História (Rio de Janeiro, 2004)*. Disponível em http://www.rj.anpuh.org/Anais/2004/indice2004.htm. Acesso em 29/08/2009, p. 17. "A comunicação apresenta uma comparação entre a confissão pública e a confissão auricular, como instrumentos de controle social nas comunidades cristãs, na Idade Média e nos Tempos Modernos, destacando o papel da excomunhão e da reconciliação enquanto rituais de inclusão e exclusão social. Analisa ainda a questão do progressivo controle do clero sobre a absolvição e a incorporação das questões de foro interno, no contexto da difusão da Devotio Moderna" (p. 01).

de suas confidentes para "atos torpes" e, com muitas delas, havia tido "toques desonestos e palavras lascivas". O padre havia sido denunciado por Isabel Rodrigues, que narrou minuciosamente aos inquisidores. Em 14 de agosto de 1696, padre Botelho foi suspenso de seu sacerdócio por oito anos. O direito de exercer o sacramento da confissão foi-lhe retirado para sempre, tendo sido condenado a cinco anos de degredo para algum lugar do Brasil[68].

Para estas mulheres solicitadas, era muito difícil denunciar os assédios sofridos. Isabel Rodrigues, por exemplo, acusou o padre Botelho onze anos depois de ter sido solicitada por ele. Talvez Isabel tenha escondido este fato para preservar sua honra ou para evitar represálias familiares. Mas, uma vez denunciado o crime do confessionário e verificada a má conduta do confessor, a pena de degredo era quase certa. No entanto, a maioria destes padres não se apresentou à mesa inquisitorial e os seus processos não tiveram continuidade, como veremos mais adiante. Muitos deles foram apenas afastados do ambiente que havia ocasionado a sua má conduta, sendo transferidos de conventos ou paróquias.

Em ambos os lados do Atlântico, o crime da solicitação foi descortinado pelos inquisidores. Para Maria Beatriz Nizza da Silva,

quer em Portugal quer no Brasil colonial, as mulheres foram acusadas de bigamia perante o Tribunal do Santo Ofício. Ao mesmo tempo eram vítimas do crime de solicitação, quando padres inescrupulosos se serviam do confessionário para assédio sexual das confidentes.[69]

---

[68]IAN/TT: Inquisição de Coimbra, processo 6728: Manuel Botelho.
[69]Maria Beatriz NIZZA DA SILVA. "Bigamias e seduzidas em Portugal e no Brasil" Revista *Faces de Eva. Estudos sobre a Mulher* (1-2).

Capítulo 3

A profanação sacramental e os padres pecadores no Brasil

É comum encontrarmos, em diferentes momentos e lugares, denúncias sobre os desvios comportamentais e morais do clero. No século XVI, como vimos, François Rabelais e Erasmo de Roterdã se utilizaram da narrativa para criticar, veementemente, o comportamento moral do clericato europeu da época Moderna.

Na literatura portuguesa, anos adiante, também é possível identificar uma importante fonte de alusões à conduta heterodoxa dos padres, na qual a ficção expõe práticas condenáveis pela cúria romana. Eça de Queirós, em 1876, publicou o romance *O crime do padre Amaro*, cujo enredo baseia-se no amor proibido entre o clérigo e Amélia, moça ingênua que, depois de seduzida concebeu um filho seu.

De modo geral, nessas críticas literárias, temos em comum o questionamento do celibato clerical, a partir de questões relativas à sexualidade. O padre Amaro, por exemplo, em noite de excitação, questionava o fato de ser proibido ir até a casa de sua amada para pedi-la em casamento, bem como o de não poder possuí-la sem pecado:

> Por que proibia ela [a Igreja] aos seus sacerdotes, homens vivendo entre homens, a satisfação mais natural, que até têm os animais? Quem imagina que desde que um velho bispo diz – será casto – a um homem novo e forte, o seu sangue vai subitamente esfriar-se? E que uma palavra latina – *accedo* – dita a tremer pelo seminarista assustado, será o bastante para conter para sempre a rebelião formidável do corpo? E quem inventou isso? Um concílio de bispos decrépitos, vindos do fundo dos seus claustros, da

paz das suas escolas, mirrados com pergaminhos, inúteis como eunucos! Que sabiam eles da Natureza de suas tentações? Que viessem ali duas, três horas para o pé da Ameliazinha, e veriam, sob a sua capa de santidade, começar a revoltar-se-lhe o desejo! Tudo se ilude e se evita, menos o amor! E se ele é fatal, por que impediram então que o padre o sinta, o realize com pureza e dignidade? É melhor talvez que o vá procurar pelas vielas obscenas! – Porque a carne é fraca![70]

Para além do "crime da carne", nas obras de Rabelais e de Erasmo as "denúncias" são mais amplas, abarcando os vícios mundanos, a carência de vocação e a má formação sacerdotal, enfim, a condição precária de um clero em vias de reforma.

Considerando as dimensões de tempo e espaço que distinguem o estilo dessas críticas, pode-se perceber que o feitio de muitos padres do Brasil colonial era semelhante ao abordado nos exemplos literários. Pesquisas historiográficas recentes, como a realizada por Suely Almeida, demonstram que a existência de famílias formadas da relação "proibida e pecaminosa" entre homens religiosos e mulheres foi uma realidade para a história pernambucana do século XVIII. Essas famílias mantiveram, em muitos casos, a mesma importância cultural e social que tinham os núcleos originados de relações lícitas, isto é, entre leigos[71].

Suely Almeida objetivou demonstrar, a partir das famílias constituídas por religiosos, que os esquemas gerais de explicação da constituição do núcleo doméstico, e sua importância social e cultural, apresentam-se ineficientes para abordar o amplo e plural universo da vida familiar na América portuguesa do século XVIII. No entanto, estudos como estes são sugestivos e enriquecedores no sentido de se lançar luz à ideia de que os desvios de comporta-

---

[70]Eça de QUEIRÓS. *O crime do padre Amaro*, p. 119-120.
[71]Suely Creusa Cordeiro de ALMEIDA. *Os religiosos e as mulheres*: um olhar sobre as famílias constituídas por clérigos. Trabalho apresentado na VII Jornada Setecentista, Curitiba, 2007.

mento do clero, no Brasil, são partes de um catolicismo prosaico, "folclórico", que concorda, por seu turno, com outra concepção de senso comum de que não existia pecado no sul equatorial. Em outras palavras, a conduta desses padres não pode ser considerada como componente do conjunto de peculiaridades do catolicismo colonial. Este, afinal, foi o resultado de um amplo processo de cristianização do Brasil, onde a ortodoxia da Igreja de Roma rendeu-se, em muito, às singularidades culturais dos trópicos. É, portanto, um catolicismo genuinamente brasileiro, nem português, nem ameríndio, mas híbrido. De acordo com Laura de Mello e Souza, uma religião que despontou como "sincrética e especificamente colonial", com "traços católicos, negros, indígenas e judaicos"[72].

Portanto, a condição do clero no Brasil está associada mais a desvios de procedimentos, comuns a outros espaços e tempo, do que às "singulares, prosaicas e folclóricas" características do catolicismo tropical, e isso fica bastante evidente quando de uma análise dos relatos, feitos por diversas fontes, sobre a vida cotidiana do clero nas terras do Brasil.

Dentre os primeiros desses relatos, talvez o mais importante tenha sido o realizado pelos jesuítas no século XVI. Os padres da Companhia de Jesus chegaram ao Brasil em 1549, e logo evidenciaram que o sucesso da evangelização dos ameríndios dependia, entre outras coisas, da correção da fé praticada pelos colonos. Manoel da Nóbrega, na condição de superior da Missão do Brasil, cuidou de denunciar o desregramento desses homens[73].

---

[72]As duas citações referem-se a Laura de Mello e SOUZA. *O diabo e a Terra de Santa Cruz: feitiçaria e religiosidade no Brasil colonial*, p. 97.

[73]Até 1580, a Companhia de Jesus foi a única ordem religiosa autorizada, pela Coroa portuguesa, a trabalhar na evangelização dos indígenas. O clero secular, assim como muitos colonos em estada no Brasil, eram vistos como males a serem eliminados para que a atividade apostólica tivesse sucesso. Sobre o empreendimento missionário da Companhia de Jesus no Brasil, no período entre 1549 e 1580, ver Luiz Antonio SABEH. *Colonização salvífica: os jesuítas e a Coroa portuguesa na construção do Brasil (século XVI)*. Dissertação (Mestrado em História). Programa de Pós-Graduação em História, Universidade Federal do Paraná, Curitiba, 2009.

Para o padre, muitos portugueses em estada na província eram amantes do furto e da rapina, das drogas e da jogatina. Eram funcionários reais, degredados, negociantes e forasteiros que abusavam dos vícios e da devassidão. Mas o que outrora fosse punido na casa do Rei, no além-mar eram crimes morais consentidos e compartilhados pelos padres seculares.

De acordo com o jesuíta, enquanto o clero secular deveria auxiliar os inacianos a levarem os colonos à ortodoxia do catolicismo, ele praticava os mesmos atos "abomináveis" dos colonos errantes. Ainda no início das atividades, Nóbrega foi enfático ao dizer que "certo é muito necessário haver homens *qui quoarent Jesum Christum solum crucifixum*", porque havia clérigos no Brasil, "mas é a escória de que lá vem". Assim, enfaticamente recomendou que "não se devia consentir embarcar sacerdote sem ser sua vida muito aprovada, porque estes destroem quanto se edifica"[74].

Este perfil do clero, segundo os jesuítas, era um dos motivos de malogro das suas atividades evangelizadoras. Na capitania de Pernambuco, à guisa de exemplo, "havia (...) mui pouco cuidado de salvar almas"[75], porque os clérigos tinham o ofício de demônios, e não de sacerdotes. Além de terem mancebas, pregavam publicamente aos homens que eles podiam pecar com suas escravas porque elas eram como cães[76].

Nóbrega relatou que, quando os jesuítas chegaram à capitania, os padres seculares foram repreendidos e um pediu perdão publicamente, mas os demais não apareceram em público, de tão escandalosos que eram os seus pecados[77]. Em pregações dirigidas

---

[74]As citações referem-se a Manoel da NÓBREGA. Para o Padre Mestre Simão (1549). *In: MNCB*, p. 77.

[75]Manoel da NÓBREGA. Para os Irmãos do Collegio de Jesus de Coimbra (1551). *In: MNCB*, p. 119.

[76]Ver Manoel da NÓBREGA. Aos Padres e Irmãos (1551). *In: MNCB*, p. 116.

[77]Ver Manoel da NÓBREGA. Para os Irmãos do Collegio de Jesus de Coimbra (1551)..., p. 119-120.

ao clero local, Nóbrega os lembrou das leis de Deus e, de acordo com o inaciano, as coisas da fé lhes pareciam novidade[78]. Na Bahia, a situação era semelhante, tornando-se a causa apontada para o pouco fruto colhido pelos jesuítas no local. Tamanha era a penúria do clero que Nóbrega chegou a dizer que não restava, senão aos padres inacianos, encomendar a terra a Deus, "porque (...) todos são para estorvar o serviço de Nosso Senhor, e um só se não acha para favorecer o negocio de salvar almas"[79]. A Tomé de Sousa, governador-geral do Brasil, o jesuíta manifestou seu desejo de ver os padres castigados por Deus, principalmente àqueles que compravam as escravas de melhor preço para com elas amancebarem-se e terem filhos. Cedo ou tarde, acreditava Nóbrega, a Justiça Divina aplacaria sobre eles, já que, além de seus pecados serem públicos,

> começaram também de usar de suas ordens e dispensar os sacramentos e desatar as ataduras com que nós detínhamos as almas, e a dar jubileus de condemnação e perdição ás almas, dando santo a cães e as pedras preciosas a porcos que nunca souberam sahir do lodo dos seus peccados, pelo qual não somente os maus, mas algum bom, si o havia, tomou liberdade de ser tal qual sua má inclinação lhe pedia.[80]

A recriminação dos inacianos ao comportamento desviante do clero secular gerou um clima de tensão entre os diferentes grupos de padres. As desavenças, que começaram com pequenas inquirições[81], ganharam maiores proporções em episódios como o ocorrido em 1558: o vigário da "cidade da Bahia" retirou dos padres jesuítas a incumbência do exercício pastoral tomando-lhes as terras que Diogo Álvares, o Caramuru, havia deixado à

---

[78]Idem, A El-Rei [D. João III] (1551). *In: MNCB*, p. 123-124.
[79]Idem, A Thomé de Sousa (1559). *In: MNCB*, p. 196.
[80]Ibid, p. 194.
[81]Idem, Ao Padre Simão Rodrigues (1550). *In: MNCB*, p. 111.

Companhia de Jesus. De acordo com Nóbrega, o clérigo, além de proibi-los das tarefas missionárias, falsificou a assinatura do falecido Caramuru. Nóbrega o admoestou fraternalmente, mas, revoltado, o vigário amotinou seus padres contra os inacianos.[82] A dissidência tomou tamanho vulto que o jesuíta chegou a considerar que, se não fossem os governadores, os padres seculares já teriam tirado suas vidas.[83]

Não fosse apenas o embate com os inacianos, as intrigas que o clero secular promovia entre os indígenas causavam também a desestabilização da harmonia social na colônia. Da solidez moral, tão almejada pelos jesuítas como forma de preparação dos ameríndios ao batismo, dependia o sucesso da conversão. Houve um caso em que um sacerdote incitou a briga entre dois chefes tribais, causando a morte de um deles[84]. Entretanto, o mais grave ocorreu na Bahia: um clérigo não recebeu benefícios materiais de um cacique e desejou-lhe a morte. Coincidentemente, o chefe tribal veio a adoecer e associou sua enfermidade à maldição lançada pelo padre. Assim, antes de falecer, o indígena mandou seus filhos vingarem sua desgraça. No desforço dessa vindita, segundo informou Nóbrega, iniciou-se uma guerra dos índios contra os portugueses naquela capitania[85].

Na razão inaciana, com essas e outras "más ações" do clero, não sujeito a ordem religiosa, resultava-se, enfim, uma vida espiritual precária no Brasil:

> não há paz, mas tudo ódio, murmurações e detrações, roubos e rapinas enganos e mentiras; não há obediência nem se guarda um só sacramento de Deus e muito menos os da Igreja.[86]

---

[82]Idem, Apontamentos de coisas do Brasil. Da Baía, 8 de Maio de 1558. *In*: LEITE, Serafim S.J. (org.). *Novas cartas jesuíticas (de Nóbrega a Vieira).* , p. 84-85.

[83]Idem, Aos Padres e Irmãos (1551) p. 116.

[84]Ver Manoel da NÓBREGA. Ao Padre Simão Rodrigues (1550)... p. 108.

[85]Idem. Ao Padre Mestre Simão (1549). *In: MNCB*, p. 81.

[86]Idem. A Thomé de Sousa (1559)... p. 194.

A fim de corrigir esse infortúnio, Nóbrega se valeu de sua influência política junto à Coroa portuguesa para tentar instituir, na colônia, um aparelho eclesiástico eficiente. Para ele, isso só seria possível com o envio de um bispo e o reconhecimento da autoridade dos jesuítas na aplicação dos sacramentos e demais atividades religiosas[87]. Inconformado com a complacência dos sacerdotes diante da violência praticada pelos colonos contra os silvícolas, o padre também chegou a sugerir a vinda de inquisidores para punir o clero secular, fosse por seus pecados ou por seu comportamento impróprio à lide evangelizadora[88].

Manoel da Nóbrega falecera em 1570 e não acompanhou a primeira visitação do Santo Ofício da Inquisição de Lisboa às partes do Brasil, ocorrida entre 1591 e 1592. Embora o padre tenha sugerido a presença de inquisidores para a América portuguesa em 1550, a visitação parece ter ínfima relação com suas observações sobre a estrutura em que se calcava a fé na Terra de Vera Cruz. Tudo indica que a visitação tenha sido uma ação pensada pelo bispado, instalado na capitania em 1551, ao qual cabia o poder inquisitorial no Brasil que, mesmo antes de 1591, registrou casos de prisões[89]. Em todo caso, o objetivo da primeira visitação foi o de avaliar como o catolicismo estava sendo praticado na colônia[90].

Das 121 confissões feitas à mesa inquisitorial na Bahia, nove envolveram direta ou indiretamente padres regulares e seculares. Dentre os crimes mais graves cometidos pelos sacerdotes estava o da sodomia, cometido, por exemplo, por Frutuoso Álvares. Em sua confissão, o vigário de Matoim declarou ter praticado a "torpeza dos tocamentos desonestos com algumas quarenta pessoas

---

[87]Idem. Ao Padre Simão Rodrigues (1550)..., p. 111.

[88]Idem.

[89]Sobre essas questões ver a introdução de Ronaldo Vainfas feita em *CBSO*.

[90]Sobre a primeira visitação do Santo Ofício no Brasil, e os crimes de fé identificados na colônia, ver Geraldo PIERONI (org.). *Heresias brasílicas*: Inquisição e purgatório no Brasil Colonial. Curitiba: UTP, 2008.

pouco mais ou menos, abraçando, beijando", e mantendo relações sexuais com jovens da cidade[91].

Na ocasião da confissão fazia quinze anos que o vigário estava em terras brasileiras. Frutuoso era natural de Braga, de onde foi degredado para Cabo Verde pelo crime de sodomia. No entanto, o padre cometeu o mesmo crime na ilha, motivo pelo qual foi enviado preso para Lisboa. Novamente em Portugal, foi condenado ao degredo, dessa vez, para ser cumprido para sempre no Brasil[92].

Penitência diferente recebera Jerônimo Parada, estudante que afirmou ter cometido o crime de sodomia com o padre Frutuoso em três ocasiões. Pelo fato de Jerônimo ter dito ao inquisidor que o clérigo "era amigo de fazer estas torpezas com moços e já por isso viera degredado do Reino"[93], foi admoestado pelo visitador, que lhe ameaçou de grave castigo, caso o estudante não se afastasse de pessoas com quem fizesse conversação sobre Frutuoso[94].

Afora Frutuoso Álvares, outros dois padres aparecem nas Confissões da Bahia. O sacerdote de missa Jácome de Queiróz confessou à mesa do Santo Ofício que manteve relação sexual com meninas de idade entre seis e sete anos e alegou que nas duas ocasiões em que corrompeu as crianças estava sob o efeito do vinho[95]. Já o vigário Antônio Fernandes foi denunciado nas confissões de Noitel Pereira e de sua esposa Antônia Correia. O seu crime foi de "sedução ou tentativa de sedução em confessionário".

---

91 CONFISSÃO de Frutuoso Álvares, vigário de Matoim, no tempo da Graça, em 29 de julho de 1591. *In*: *CBSO*, p. 45-51.

92 Na sua confissão há apenas a indicação do seu retorno à mesa inquisitorial em data fixada, mas não é mencionado qual, especificamente.

93 CONFISSÃO de Jerônimo Parada, estudante, cristão-velho, na graça, em 17 de agosto de 1591. *In*: *CBSO*, p. 88.

94 Idem p. 86-89.

95 CONFISSÃO do cônego Jácome de Queiróz, mestiço, no tempo da graça, em 20 de agosto de 1591. *In*: *CBSO*, p. 102-103. Não há, nesta confissão, a penitência dada pelo visitador do Santo Ofício.

Antônio Fernandes, a propósito da confissão de Antônia Correia, proferiu palavras de desprezo ao seu marido Noitel e lhe ofereceu vestidos de seda e outros mimos, caso tivesse uma mulher como ela. Indignado, o casal levou o caso à mesa inquisitorial com o intuito de pedir perdão pelo fato de terem dito que, depois do ocorrido, fariam a confissão sacramental diretamente a Deus e não mais aos homens[96].

Chegara, enfim, o crime de profanação do confessionário no Brasil: a conduta dos padres era o que colocava em risco o teor salvífico e prático da confissão e, embora tenha sido baixo o número de padres que caíram nas teias da primeira visitação do Santo Ofício, as denúncias frequentes de Nóbrega colocaram em exposição o afrouxo moral dos clérigos que se encontravam na América. Tal fato levou o historiador Teodoro Sampaio, em 1949, a comentar que,

> para o viver em terra longínqua como o Brasil, viver rude, no meio de degredados e indivíduos sem escrúpulos, só uma alma angélica, à um tempo forte e enérgico, ardendo por um ideal elevado, qual o da salvação e bem de todos, podia, arrostando perigos e malquerenças oferecer resistência aos abusos, aos crimes, lutando pela justiça e apertando com mão firme os laços da solidariedade social. Porém, em sua maioria, os clérigos domiciliados na colônia não tinham esse temperamento.[97]

A conduta heterodoxa do clero, entretanto, não foi corrigida com a primeira visitação do Santo Ofício. Em 1656, Antonio de Mariz, administrador da jurisdição eclesiástica do Rio de Janeiro,

---

[96]O crime de solicitação *ad turpia*, supostamente cometido pelo vigário Antônio Fernandes, foi configurado em razão das confissões 72 e 73 que relatam o mesmo caso. Ver CONFISSÃO de Noitel Pereira, cristão-velho, no tempo da graça do Recôncavo, em 24 de janeiro de 1592 e CONFISSÃO de Antônia Correia, cristã-velha, no tempo do Recôncavo, em 24 de janeiro de 1592. *In*: *CBSO*, p. 248-251.
[97]Teodoro SAMPAIO. *História da fundação da cidade do Salvador*, p. 221.

denunciou a incoerência dos padres banidos de Portugal que chegavam ao Brasil. Antônio Mariz tinha apenas terminado sua visita ao Espírito Santo, Rio das Caravelas, Porto Seguro e São Paulo, quando manifestou sua preocupação com o comportamento dos clérigos que ele havia encontrado em todo o percurso de sua missão apostólica. E este foi o motivo que o levou a escrever diretamente ao rei lamentando-se que, no Brasil, muitos eclesiásticos "que vêm desterrados dessa corte são tão indignos que lhes estivera melhor, tratarem de outra profissão, em que com menos escândalo, pudessem seguir o ditame de suas inclinações"[98].

De igual modo, Alberto Lamego comentou na sua obra *Terra Goitacá*, que Portugal continuava a derramar na colônia recém--descoberta, bandos de criminosos. Entre eles, haviam padres que, longe de se corrigirem, aproveitaram "a largueza da terra para seguir o ditame das más inclinações"[99].

Em 1653 foi a vez do padre Antônio Vieira denunciar a vida desordenada do clero brasílico. Quando Vieira se encontrava em São Luís do Maranhão, escreveu ao rei de Portugal contando que ele havia encontrado na cidade, apenas dois padres. Entre os muitos defeitos que tinham, ambos eram "pouco instruídos e sem zelo religioso, porque eles chegam aqui em exílio ou porque não prestam para ganhar sua vida em outra parte"[100].

Este cenário penurioso da vida dos homens de fé nos trópicos, certamente foi um fator de contribuição para a ocorrência de novos casos de solicitação no confessionário. Na ocasião da segunda visitação do Santo Ofício no Brasil, em 1618, a famosa baía de Todos-os-Santos assemelhava mais à baía de "todos-os--diabos". Nesta visitação, o padre Baltasar Marinho foi denun-

---

[98]Antonio de MARIZ. Carta ao Rei de Portugal de 4 de janeiro de 1656. *In*: Alberto LAMEGO. *Terra Goitacá*. Livro I. Bahia: [s.n.], 1913, p. 89.

[99]Antonio de MARIZ. Carta ao Rei de Portugal de 4 de janeiro de 1656... p. 89.

[100]Antônio VIEIRA. Carta ao rei, de 20 de maio de 1653. *ap*. Eduardo HOORNAERT et al. *História da Igreja no Brasil*: ensaio de interpretação a partir do povo. Primeira época. Tomo II/1. 3 ed. , p. 289.

ciado por Madalena de Góis. A mulher declarou aos inquisidores visitantes que, durante a confissão, o padre havia lhe proposto "dormir carnalmente" com ela. Mas indignada, ela não quis mais se confessar com ele. Baltasar também foi acusado de solicitar duas outras mulheres e, ainda mais, de ter tentado cometer atos sodomíticos com os filhos da própria Madalena[101].

Nas terras do Brasil, entre os padres que solicitaram seus penitentes durante, antes ou depois da confissão, identificamos alguns que foram degredados para outras províncias do próprio Brasil ou que, da colônia, foram enviados para outros territórios ultramarinos do império português. O padre Bernardo Borges, por exemplo, era vigário do Rio de Janeiro e foi condenado ao degredo para Angola por 10 anos. Outros padres, pelo mesmo crime, foram expulsos de suas paróquias e proibidos, por toda a vida, de voltarem a elas. Eram eles: Pedro Homem da Costa, de 51 anos, residente na Paraíba; Antônio Esteves, em Pernambuco, 45 anos; Antônio Alvares Puga, 46 anos; e um certo Francisco do Rio de Janeiro, de 52 anos. Dessa sentença, a única exceção foi o padre solicitante Manuel Pinheiro Oliveira, de 53 anos e vigário de Congonhas nas Minas Gerais. Em vez da interdição perpétua, recebeu como pena o confinamento por oito anos. Outros também foram banidos para conventos distantes do local de seus pecados, como foi o caso dos freis pernambucanos José de Jesus Maria, 62 anos; e Manuel de Jesus, 50 anos[102].

Dos brasileiros que nesta época moravam em Portugal, encontramos um confessor *ad turpiam* que era originário da Bahia e residia na Quinta da Verdelha, termo da vila de Alverca, no arcebispado de Lisboa. Ele havia, durante a confissão sacramental, solicitado uma mulher com a intenção de seduzi-la. Este baiano de 40 anos chamava-se frei Joseph da Anunciação, religioso pro-

---

[101]*SVDB*, p. 106.

[102]IAN/TT: Inquisição de Lisboa, Conselho Geral do Santo Ofício, Livro 435.

fesso da Ordem de São Paulo. Foi banido de Lisboa e recluso no convento da vila de Serpa, no interior de Portugal[103].

A confissão sacramental, considerada pelos teólogos uma benção sublime, afinal, era também uma fonte de pecado. Relatar as improbidades aos padres era um verdadeiro ato de purificação que começava, para os portugueses colonizadores, ainda dentro dos navios ancorados no porto da Torre de Belém, às margens do Tejo, até o desembarque no Brasil. O próprio Nóbrega, em 10 de abril de 1549, ordenou que fosse administrada a confissão a todos os viajantes dos navios e muitos deles, na última hora, antes da partida.[104]

Uma vez desembarcados em terra firme, a confissão era também obrigatória. Em 1616, o bispo d. Constantino Barradas excomungou Miguel de Sá porque ele refutou em confessar-se[105]. Somava-se à importância deste sacramento o fato de ser o número das almas confessadas nas paróquias que permitiam um conhecimento aproximado da quantidade de habitantes da cidade de Salvador da Bahia: em 1706, por exemplo, suas seis paróquias contavam com 21.601 almas de confissão; em 1755, a cidade já possuía nove paróquias que, juntas, somavam 35.543 almas confessadas.

Agindo em defesa do sacramento da confissão, as Constituições Primeiras do Arcebispado da Bahia, em 1707, evidenciaram que, além do medo das penas do inferno, havia a necessidade da reconciliação com Deus, profundamente ofendido pelos pecados dos homens.

Este documento normativo reforçava que o confessionário era o lugar da redenção das almas corrompidas, o símbolo da absolvição divina. Mas a salvação, como ressaltavam as constituições, dependia da confissão sincera, pois a contrição perfeita representava dor e ódio em relação aos pecados. Afinal, tais ofensas a Deus eram

---

[103]IAN/TT: Inquisição de Lisboa, Conselho Geral do Santo Ofício, Livro 435.
[104]Manoel da NÓBREGA. Carta do dia 10 de abril de 1549. *ap*. HOORNAERT, Eduardo et al. *op. cit.*, p. 307.
[105]Ver Eduardo HOORNAERT *et al. op. cit.*, p. 310.

dignas de punição, porque se entendia que Ele devia ser amado acima de todas as coisas por ser infinitamente bondoso. Os penitentes, então, deveriam prometer firme intenção de jamais ofendê-lo[106].

Os bispos que elaboraram o texto de 1707 recordaram o espírito tridentino da Contrarreforma ao detalharem, em suas decisões constitucionais, o caráter obrigatório da confissão e a interdição aos padres de confessarem os penitentes em lugares menos visíveis como o coro, o batistério ou a sacristia. Essa última resolução estava voltada, sobretudo, à confissão das mulheres, que deveria ser feita por padres que tinham mais de 40 anos e que sabiam evitar as perguntas curiosas e inúteis, "para que com elas lhes não dêem ocasião a novos pecados"[107].

Tudo indica que a solicitação *ad turpiam,* muitas vezes, não chegava ao conhecimento dos inquisidores. No Brasil, não havia um tribunal instalado do Santo Ofício, e entre o espaço temporal de uma visitação e outra, um penitente solicitado poderia abrir mão da denúncia por diversas razões: desconsideração, envolvimento com o clérigo galante, ou mesmo como forma de preservar sua honra e a de sua família.

Ademais, quando denunciado, o padre solicitador poderia não ser punido. Ele tinha a possibilidade de ter a pena comutada e, até mesmo, perdoada. A interpretação das leis, tanto como a aplicação das penas, era muito flexível. Perdões e comutações eram procedimentos adotados tanto pelos tribunais do Santo Ofício quanto pelo Conselho Real da Justiça. Timothy Coates, estudando o aparelho penal no império português, revelou com profundidade, que um dos elementos "complexos e fascinantes" deste sistema era a sua capacidade de adaptação: "a flexibilidade na condenação de seus criminosos era uma característica da pena de degredo utilizada pelo Estado português no início da época moderna"[108].

---

[106]*CPAB*: Livro I, título XXXIV, parágrafos 131-132.

[107]*CPAB*: parágrafos 171, 174, 175.

[108]Timothy J. COATES. *Degredados e órfãs*: colonização dirigida pela Coroa no império português, 1550-1755, 1998, p. 178.

Por ser a pena, muitas vezes, pouco proporcional à gravidade jurídica e teológica do crime do confessionário, o cometimento deste desvio despertou, talvez, a atenção de oportunistas que queriam desfrutar da edícula sagrada para se deleitar com as penitentes, como fez o soldado Pascoal Sanfon. Homem de 42 anos, nascido em Palermo e residente em Portugal, Pascoal se fez passar por um clérigo e entrou no confessionário com intenções bem definidas: por ser um local discreto e sem observadores, o objetivo desse ousado soldado era solicitar às penitentes para que fossem ter com ele "fornicação e torpezas". Ele foi denunciado à Inquisição de Lisboa e, no auto de fé do dia 19 de maio de 1754, e o Santo Ofício o condenou a seis anos de trabalhos forçados nas galés, uma pena muito mais severa do que aquelas que normalmente eram aplicadas aos padres que cometiam o mesmo crime. No entanto, por ele ser um leigo, foi acusado de profanar o confessionário: um crime de desacato[109].

O caso do soldado aproveitador retrata bem o tratamento dado à questão no reino português, lugar em que, em geral, as punições para esse crime não eram rigorosas. Muito raramente esses padres libidinosos foram punidos com o degredo em territórios ultramarinos. Em nossa pesquisa, entre os 134 padres condenados pelos tribunais do Santo Ofício com o degredo, somente 17 foram expulsos de Portugal: 7 para o Brasil, 7 para Angola, 1 para São Tomé, 1 para Mazagão e 1 para a ilha do Príncipe.

O degredo para as "Conquistas do Reino" era reservado aos casos mais sérios, aqueles que se enquadrassem, por exemplo, no agravante do padre estar convicto de perseverar no seu crime torpe[110] ou "se com a pessoa solicitada tiver cometido e consumado algum ato de fornicação, de molícias ou do pecado nefando"[111]. Os outros 117 padres foram banidos para outros conventos ou

---

[109]IAN/TT: Conselho Geral do Santo Ofício, Inquisição de Lisboa, Livro 435.
[110]*RSOI*: Livro II, título XVIII: Dos confessores solicitantes no sacramento da confissão.
[111]Idem.

lugares dentro de Portugal. Normalmente, estes padres pertenciam a uma ordem religiosa e eram transferidos para outros conventos da própria congregação.

A maioria, no entanto, recebia apenas correções espirituais que, normalmente, eram a interdição perpétua ou temporária de administrar o sacramento da confissão. Eram, também, privados "de voz ativa e passiva"[112], e algumas vezes foram totalmente proibidos de exercerem qualquer função eclesiástica, como aconteceu com o frei João de Freitas Candeias do convento Nossa Senhora da Estrela.

Este clérigo tinha 62 anos quando a Inquisição de Évora o prendeu por ter solicitado algumas mulheres. Para evitar o escândalo, o frade recebeu a sentença, com muita discrição, no interior do capítulo do convento de São Francisco, da cidade de Évora. Fez abjuração de leve suspeita na fé e foi proibido por toda a vida de exercer os sacramentos da confissão e da eucaristia. João Freitas Candeias foi ainda condenado a seis anos de reclusão no convento de Tavira e nunca mais pôde voltar à vila de Marvão, onde havia cometido seus pecados[113].

No caso do frei João, e para os outros que também pertenciam a uma ordem religiosa – os chamados padres regulares – o parágrafo II do título XVIII do *Regimento* de 1640 estipulava a reclusão num cárcere do convento, de um ou dois anos, com jejum a pão e água segundo a gravidade das faltas[114].

De um modo geral, as sentenças dos padres não eram proclamadas durante um auto de fé público, como ocorreu com o soldado Pascoal Sanfon e com os vários leigos punidos por outros crimes de fé. Depois de um procedimento prudente, as sentenças dos solicitadores eram pronunciadas reservadamente na sala do Tribunal da Inquisição onde havia a presença apenas dos inquisidores, deputados, notários, oficiais daquele Tribunal. Caso o

---

[112]Idem.

[113]IAN/TT: Inquisição de Évora, processo 6322: frei João de Freitas Candeias.

[114]*RSOI.*

clérigo pertencesse a uma ordem religiosa, após a leitura da condenação, um notário iria ao seu convento para ler a sentença no capítulo da Ordem diante dos prelados e religiosos conventuais[115].

Os inquisidores estavam bem atentos para não difundirem em praça pública este tipo de crime, pois temiam que este delito pudesse afastar os cristãos da prática confessionária[116]. Nos anos quarenta do século XVII, na "Mesa", isto é, na sala de audiência do Tribunal da Inquisição de Lisboa, em uma pequena cerimônia privada, foram lidas as sentenças de três padres solicitantes: Antônio Nunes, confessor da Sé de Lisboa, condenado a dez anos de degredo para o Brasil; Antônio Nabo, vigário da Ribeira no arcebispado de Guarda, banido para o Maranhão; e, enfim, Diogo Leitão Cerveira, condenado aoito anos de degredo, também ele, para o Brasil[117].

A leitura das sentenças promulgadas na "Mesa" do Tribunal era acompanhada estritamente pelos agentes indispensáveis ao procedimento do cerimonial e por alguns convidados dos inquisidores. Logo após a publicação do veredicto, o decano dos inquisidores tomava a palavra e exortava o condenado a reconhecer seu erro e o preparava a fazer, com humildade, a abjuração de todas as heresias. De joelhos, o penitente fazia sua profissão de fé e, em seguida, assinava sua abjuração. Nesse momento, o inquisidor o absolvia *ad cautelam*, e o réu era, então, conduzido para a prisão onde, no dia seguinte, era levado para o convento onde ficaria enclausurado pelo tempo determinado em sua sentença[118].

Se os processos dos padres solicitantes são relativamente parcos, as listas dos padres denunciados, sobretudo no século XVIII, estão repletas: os padres e freis de nome "Antônio" são 244, mas apenas 21 apresentaram-se à Mesa. Os "Francisco" solicitantes

---

[115]*RSOI.*

[116]ESCAMILLA-COLIN, Michèle. *op. cit.*, p. 188.

[117]IAN/TT: Conselho Geral do Santo Ofício, Inquisição de Lisboa, Livro 433.

[118]Michèle ESCAMILLA-COLIN. *op. cit.*, p. 188-189.

são 175, dos quais 23 foram submetidos a um julgamento. Os "João" são 185, dos quais somente 17 foram condenados pelos juízes do Tribunal da fé. Entre os 209 "José", 29 foram processados. Todavia, o *record*, e não podia ser diferente, são os "Manuel": 280, dos quais apenas 27, o que representa menos de 10%, apresentaram-se à Mesa para serem julgados. Isso explica por que os processos são tão poucos[119].

São muitos os suspeitos denunciados nestas listas, mas são escassos os condenados. O *Regimento* de 1640, que permaneceu em vigor até 1774, havia ordenado a condenação se houvessem provas suficientes para conduzir, até o final, o julgamento. O Santo Ofício tinha também o direito de aplicar punições menos rígidas para todos aqueles que se apresentassem, voluntariamente, no tempo do edito da graça, isto é, em um período de 30 dias após a publicação do monitório.

Se o padre fosse precavido e se apresentasse durante este período, os inquisidores lhe repreendiam com algumas advertências, condenando-o somente a penas espirituais e suspensão temporária de exercer o sacramento da confissão[120]; porém, todo este procedimento permanecia secreto para evitar a propagação do escândalo e coroar a instituição inquisitorial com a auréola da força e do temor. Neste caso específico,

> o segredo é um privilégio do poder e um sinal da participação ao poder. Ele está igualmente vinculado à ideia de tesouro e a seus guardiões. Ele é também fonte de angústia pelo peso interior, tanto para quem o carrega tanto para quem o teme[121].

Desta forma, o segredo oferecia aos inquisidores a possibilidade de outro mundo que se situava, lado a lado, do mundo visível: um mundo misterioso e, impenetrável, para a maioria. Ge-

---

[119]BNL: cód. 8389. *ap.* Antônio Borges COELHO. *op. cit.*, p. 271.

[120]*RSOI*: Livro II, título XVIII: Dos confessores solicitantes no sacramento da confissão.

[121]Jean CHEVALIER; Alain GHEERBRANT. *Dictionnaire des symboles*, p. 856.

orge Simmel, referindo-se às funções do segredo, o comparou aos comportamentos das crianças que frequentemente se avantajam, com orgulho, poder dizer aos outros: "Eu sei de uma coisa que você não sabe", frase tão corriqueira que é pronunciada como um meio formal de rebaixar o outro.[122] Os inquisidores sabiam que tudo aquilo que é misterioso se apresenta como sendo essencial. O segredo torna-se, então, a arma toda poderosa que a Inquisição utiliza para manter o controle absoluto de suas ações. Este segredo envolvia a instituição com um halo de mistério e temor.

O *Regimento* de 1640 estabelecia, com muita clareza que,

> o segredo é uma das cousas de maior importância ao Santo Ofício, mandamos que todos os guardem com particular cuidado, não só nas matérias de que poderia resultar prejuízo, se fossem descobertas, mas também ainda naquelas que lhes parecerem de menos consideração, porque no Santo Ofício não há cousa em que o segredo não seja necessário.[123]

A *sollicitation ad turpiam*, segundo o que foi exposto até o momento, correspondia ao comportamento geral do clero de Portugal e do Brasil na época da Inquisição?

Evidentemente, não se pode fazer a balança pesar mais de um lado do que do outro, como afirmado por Jean Delumeau.[124] Nosso estudo focaliza apenas os padres solicitantes condenados pela Inquisição portuguesa com o degredo para o Brasil, o que faz nossa amostra bastante específica. Entretanto, valem algumas considerações:

Entre os séculos XVI e XVII, o número de clérigos aumentou vertiginosamente em Portugal e os conventos se multiplicaram. Em meados do século XVII podia-se contar cerca de 25.000 clérigos regulares e mais de 30.000 seculares para uma população

---

[122]George SIMMEL. *Secret et sociétés secrètes.* p. 43-44.
[123]REGIMENTO do Santo Ofício de 1640. *ap.* Joaquim Martins CARVALHO. Os Regimentos da Inquisição portuguesa. *In: Conimbricence,* 9-10 à 5-11-1869.
[124]Jean DELUMEAU. *L`aveu et le pardon...* p. 9.

de quase dois milhões, ou seja, havia um eclesiástico ou religioso para cada grupo de 36 habitantes[125].

O alto clero estava presente nas principais esferas da administração real; e a Igreja era, também, considerada proprietária de bens: no século XVII, cerca de 95% do solo peninsular pertencia à nobreza e ao clero. A maioria dos bispos e abades era proveniente de famílias de "qualidades" e os inquisidores-gerais pertenciam à nobreza.

Não podemos negar que o baixo clero permanecia medíocre e malformado. Os seminários estabelecidos pelo Concílio de Trento não existiram em número suficiente para responder a todas as demandas. A educação dos pretendentes clericais se fazia localmente e, com muita frequência, o baixo clero era acusado de possuir pouca dignidade e muitos costumes considerados indignos na idoneidade religiosa[126].

Entre estes milhares de eclesiásticos, encontramos, sem dúvida, uma considerável porcentagem de homens que escolheram o sacerdócio não somente como uma profissão tradicional de distribuidores de sacramentos, mas, sim, por uma verdadeira vocação. Portanto, muitos deles testemunharam, com coerência, os votos que a Igreja exigia deles: a pobreza, a obediência e a castidade. Todavia, o Santo Ofício não estava minimamente preocupado com estes "bons e santos padres" – como os notáveis jesuítas que atuaram no Brasil, Manoel da Nóbrega ou José de Anchieta, no século XVI – a não ser que se desviassem da ortodoxia católica, como ocorreu com Antonio Vieira, no século XVII. Embora o célebre padre tenha se destacado por seu fiel afinco missionário no Brasil e por seu arguto posicionamento

---

[125]Joel SERRÃO (org.). *Dicionário da História de Portugal.* v. VI. Porto: Livraria Figueirinhas, [s.d.], p. 36.

[126]HERMANN, C; MARCADÉ, J. *La Péninsule Ibérique au XVIIe siècle.* Paris: Deses, 1989, p. 325-326.

político na Europa, pecou por suas ideias[127]: caiu na malha inquisitorial por ter desenvolvido um tratado intitulado Esperanças de Portugal, Quinto Império do Mundo, tese considerada duvidosa porque alimentava o "sebastianismo" em Portugal[128].

Em suma, os "bons e santos padres" não podem ser encontrados nas listas e processos dos réus. Eles estão cadastrados em outro acervo documental: a *Acta Sanctorum*[129], mas não é este o objetivo deste estudo. A Inquisição, na realidade, foi uma instituição criada para a repressão e para a catequização dos desviantes que maculavam a pureza da religião católica, como fizeram os sacerdotes acusados de *sollicitatio ad turpiam*.

---

[127]Seu destaque no missionarismo em terras brasileiras se deu em função de sua incansável defesa do indígena. Assim como era contrário à escravização dos ameríndios, na Europa, com a mesma intensidade defendeu o fim da distinção entre os cristãos-novos e cristãos-velhos, o que promoveria a inserção dos judeus na sociedade lusa.

[128]O "Sebastianismo" era um mito baseado no retorno de d. Sebastião, monarca luso morto na batalha de Alcácer-Quibir na África, em 1578. Acreditava-se que o soberano herói era um Messias que voltaria para liderar o Quinto Império, o último e mais importante de todas as monarquias em Terra, como previa a Sagrada Escritura. Sobre esta questão, e o processo de Vieira, ver Geraldo PIERONI (org.); Carmen Lícia PALAZZO; Luiz Antonio SABEH. *Entre Deus e o diabo*: santidade reconhecida, santidade negada na Idade Média e Inquisição portuguesa. p. 94-96; e Luís Filipe Silvério LIMA. *O império dos sonhos*: narrativas proféticas, sebastianismo e messianismo brigantino. Tese (Doutorado em História) – Departamento de História da Faculdade de Filosofia, Letras e Ciências Humanas – Universidade de São Paulo, São Paulo, 2005.

[129]*Acta Sanctorum* (Atos ou feitos dos santos) é uma publicação iniciada em 1630 pelo jesuíta belga Jean de Bolland (1596-1665) para relatar a vida de todos os santos.

CONCLUSÃO

Os detalhes contidos nos processos dos blasfemos e dos padres solicitadores estão pontilhados de preciosas informações a respeito da religiosidade e dos comportamentos culturais religiosos. Estes documentos nos oferecem a possibilidade de trazer a lume, aspectos da vida cotidiana dos homens e das mulheres perseguidas pela Inquisição. É um desvelar-se gradativo dos seus segredos e angústias. Os registros de suas atitudes permitem aos historiadores descobrirem os sentimentos recônditos destes condenados e os motivos que animaram as autoridades inquisitoriais a condená-los.

A blasfêmia, por exemplo, era parte integrante e obrigatória do cristianismo, um componente ativo da cultura. Muito além de seu teor religioso, ela engloba a dimensão social ao penetrar no terreno frutífero das manifestações culturais.[1] Jean Delumeau, consciente desta relação, entende que o blasfemador

> não aparece mais somente como aquele que se arrisca a desencadear a cólera divina, a qual toda a comunidade deverá suportar. Simboliza também, aquele que ameaça uma harmonia social.[2]

Existe uma trama velada no procedimento blasfematório que vai desde o ímpeto de sua verbalização até o momento culminante da condenação do réu. Assim sendo, só é possível capturar as suas múltiplas nuances se utilizarmos conceitos multidisciplinares, metodologia, aliás, amplamente aplicada atualmente pelos historiadores das culturas. Mais ainda, é preciso enxergar o encadeamento aparentemente contraditório das várias preleções blasfematórias através da lente da circularidade do discurso.

---

[1]Robert MUCHEMBLED. *L'invention de l'homme moderne*, p. 76.
[2]Jean DELUMEAU. *Un Chemin d'Histoire*, p. 42.

Carlo Ginzburg detectou no processo inquisitorial de Menocchio valiosas facetas para construir a tese da circularidade entre culturas. Para Ginzburg, o ponto nodal que move o discurso encontra-se no momento em que o moleiro Menocchio inverte os papéis no interrogatório, pedindo para o inquisidor que o ouça na tentativa de convencê-lo de suas ideias. Neste episódio, Ginzburg percebeu algo de novo e apostou, com sucesso, na problemática:

> quem representa o papel da cultura dominante? E quem representa a cultura popular? Não é fácil responder (...). Cada vez com mais nitidez, vemos como ali se encontram, de modos e formas a serem ainda precisados, correntes cultas e correntes populares.[3]

As averbações dos nossos blasfemadores, embora grotescas, como não poderiam deixar de ser, estão carregadas de elementos linguísticos pertencentes à erudição doutrinal da Igreja. Procuramos entender cada momento, as circunstâncias e as particularidades da blasfêmia, das irreverências e das profanações, observando com discernimento o seu teor e a sua gravidade diante das legislações seculares e eclesiásticas, através do fio condutor das representações e simbologias. Diante dos inquisidores, após humilhações e torturas, todos sucumbiram perante a punição: boa parte deles foi condenada ao banimento.

Emile Benveniste registrou que

> a linguagem manifesta e transmite um universo de símbolos integrados numa estrutura específica: tradições, leis, éticas e artes; e é pela língua que o homem assimila a cultura, a perpetua ou a transforma.[4]

---

[3]Carlo GINZBURG. *O queijo e os vermes*: o cotidiano e as idéias de um moleiro perseguido pela Inquisição. p. 114.
[4]E. BENVENISTE. *Problemas de lingüística geral*. v. 1. p. 31.

Nesse sentido, analisando o léxico inquisitorial, Clotilde de Almeida Azevedo Murakawa demonstrou que

> é no vocabulário que se pode buscar a visão de mundo de uma época e é nele que estão as palavras-chave e as palavras-testemunho que caracterizam o modo de pensar, de agir e de ser de uma sociedade.[5]

Não é nova a afirmação de que cada época tem suas ideias, e que estas se encontram registradas no glossário escrito ou falado. Os atos blasfematórios condenados pela Inquisição são uma prova de que, no plano linguístico, a blasfêmia "se caracteriza pela sua linguagem, linguagem essa representativa de uma visão de mundo de uma sociedade, no que tange a delitos e penas"[6]. Murakawa chega à conclusão que,

> examinando o vocabulário das codificações inquisito-riais, podemos conhecer os atos reputados delituosos pela Igreja, as penas a que tais atos estavam sujeitos, os órgãos jurisdicionais e a sua competência, os atos pro-cessuais, os requisitos para a investidura nas funções in-quisitoriais. Além disso, podemos também conhecer o espaço físico do Tribunal, as casas ou câmaras secretas que o constituíam, os objetos de uso e de adorno e os preparativos para a realização do auto-de-fé.[7]

---

[5]Clotilde de Almeida Azevedo MURAKAWA. *Os Regimentos da Inquisição portuguesa*: um estudo do vocábulo. *Revista Antropológica*: cultura judaica no tempo e no espaço. Pernambuco, ano IV, v. 10, 1999. Disponível em http://www.fclar.unesp. br/centrosdeestudos/ojudeu/processo.html. Acesso em 29/08/2009, p. 02.

[6]*op. cit.* p. 02.

[7]Idem. Ver, também, sua tese MURAKAWA, Clotilde de Almeida Azevedo. *Inqui-sição portuguesa*: vocabulário do direito penal substantivo e adjetivo. Tese (Douto-rado em Língua Portuguesa). Faculdade de Ciências e Letras, Universidade Esta-dual Paulista Julio de Mesquita Filho, Araraquara, 1991.

Temos, ainda, a possibilidade de experimentar o cotidiano falado nos lugares públicos como as praças, tabernas e salas de jogatinas, onde muitos dos nossos blasfemos insultaram Jesus Cristo, Nossa Senhora, os santos e os clérigos em geral.

Por sua vez, a expressão sacrílega do crime *sollicitatio ad turpiam*, vinculado à profanação do confessionário – delito tão grave como a própria blasfêmia – revela que, para a cristandade, o problema da confissão sacramental é também histórico e, portanto, passa pelo crivo do movimento pendular do discurso. Nesse caso, seu estudo exige, também, aprofundamento multidisciplinar.

A confissão pessoal e auricular podia transformar-se numa "sutil máquina" que virava ao avesso o objetivo do sacramento. O confessionário, este receptáculo destinado ao perdão divino, podia, às vezes, ser transformado num "quiosque do amor", como o chamou, com romantismo, a historiadora francesa Michele Escamilla-Colin[8]. Na realidade, conforme as informações registradas nos processos dos réus, o confessionário (na época construído na forma diminuta de uma igreja) parecia mais uma edícula de Satá. Era um local com todos os aspectos sagrados que, mesmo assim, foram profanados. Alguns padres, como vimos, deixavam de lado o objetivo da confissão para entrar em assuntos mais íntimos e luxuriosos, convidando as suas penitentes a cometerem, ali mesmo, atos obscenos.

Com isso, se o confessor não estivesse muito atento e determinado, ele podia não ser, no confessionário, o mensageiro da clemência divina; o pai espiritual que perdoa e aconselha aos penitentes o bom caminho para a salvação de suas almas, mas, sim o contrário: um instrumento de solicitação ao pecado, como frequentemente relatam as listas dos autos de fé.

Este espaço venerado como local de oferecimento de salvação para os católicos, em diferentes momentos da história, se deparou com questões polêmicas que exigiram da Santa Sé atitudes em defesa do sacramento da confissão. Essas questões, e as conse-

---

[8]Michèle ESCAMILLA-COLIN. *op. cit.*, p. 167.

quentes reações da Igreja, entretanto, devem ser lidas no tempo e no espaço onde ocorreram, o que exige a avaliação dos fatores que circunscreveram essas práticas.

Na época Moderna, a falta cometida pelo clero no confessionário foi motivo de reação do Santo Ofício, mecanismo punitivo utilizado também pelas Coroas ibéricas para reconduzir o rebanho cristão à ortodoxia da fé católica.

Tudo isso nos leva a entender que, tanto no Brasil quanto em Portugal, o confessionário aflorou, em muitos casos, os sentimentos mais humanos e secretos de homens devotos. E na relação do homem com Deus constata-se que, invariavelmente, os fiéis foram intermediados por simples mortais, homens sujeitos à tentação.

Fontes

I. Instituto de Arquivos Nacionais/ Torre do Tombo (IAN/TT)

Conselho Geral do Santo Ofício. Livro 433 - Inquisição de Coimbra, 1567-1781.

Conselho Geral do Santo Ofício. Livro 434 - Inquisição de Évora, 1542-1763.

Conselho Geral do Santo Ofício. Livro 435 - Inquisição de Lisboa, 1540-1778.

Inquisição de Coimbra: processo 6728: Manuel Botelho; processo 1716: Silvestre da Silva; processo 8284: Domingo Gonçalves dos Santos.

Inquisição de Évora: processo 6322: frei João de Freitas Candeias; processo 2004: Antônio Pires; 2462: Diogo da Cruz; 2595: Francisco dos Arcos; 4537: Luís Cabral; 5585: André Vicente; 5649: Pedro Afonso; 6963: Diogo Pacheco de Mendonça; 7697: Maria Soares; processo 11677: Diogo Alfaia.

Inquisição de Lisboa: processo 746: Francisco de Almeida Negrão; 956: Manuel João; 1491: João Nunes; 5703: Antônio Luis de Meneses; 8821: Serafim Leite e o processo 12231: Pero de Carvalhais.

II. Biblioteca Nacional de Lisboa (BNL)

Conselho Geral do Santo Ofício, Inquisição de Coimbra, livro 433.

Conselho Geral do Santo Ofício, Inquisição de Lisboa, Livro 435.

Conselho Geral do Santo Ofício, Livro 435, caixa 178: padre Manoel Carreira Matoso, auto-de-fé do dia 26-11-1750, e frei Antônio de São José, auto de fé do dia 15-01-1755.

Sala dos Reservados, cód. 105A, fls. 84-87: Coletório de Bulas e Breves Apostólicos, Cartas, Alvarás e Provisões Reais que contém a instituição e progresso do Santo Ofício em Portugal (1634).

III. Manuais dos Confessores

CAIETANO. *Summa Caietana, trasladada em lingoaje Português com anotações de muytas duvidas, e casos de consciência.* Por ho Doctor Paulo de Palácio, cathedrático da S. Scriptura na Universidade de Coimbra. Coimbra, por Ioam de Barreyra, 1566.

CORELLA Jayme de. *Practica do Confessionário, e Explicação das proposiçoens condenadas, sua matéria, sua forma, hum diálogo entre o confessor e penitente.* Composta pelo Reverendíssimo Padre Mestre Fr. Jayme de Corella, Lente de Theologia, Missionário apostólico, Ex-Provincial da Província dos Capuchos do Reyno de Navarra. Traduzida em Portuguez pelo Padre Domongos Rodrigues Faya. Lisboa, na Officina de Miguel Lopes Ferreira, 1737.

FONSECA, João da. *Espelho dos Penitentes.* Évora: Oficina da Universidade, 1687.

MARTINS, José V. de Pina (org.). *Tratado de confisson.* Editado em Chaves, em 1489, de autor desconhecido. Introdução e estudo bibliográfico de José V. de Pina Martins. Lisboa: Imprensa Nacional/Casa da Moeda, 1973.

MARTYRES, Bartolomeu dos. *Tratado de avisos de confessores, ordenado por mandado do Reverendíssimo S. D. Fr. Bartholomeu dos Martyres, Arcebispo e Senhor de Braga.* Coimbra, por Ioam de Barreyra Impressor da Universidade, 1560.

NAVARRO, Martin de Azpilcueta. *Manual de confessores e penitentes, em ho qual breve e particular e muy verdadeiramente se decidem, e declaram quasi todas as dúvidas, e casos, que nas confissões soem ocorrer acerca dos pecados, absolvições, e censuras.* Composto por hum religioso da ordem de Sam Francisco da província da Piedade; foy vista e examinada e aprovada a presente obra por o Doutor Navarro cathedrático de prima e cânones na Universidade de Coimbra, 1549.

PORTO, Frei Rodrigo do. *Compêndio e summário de confessores, tirado de toda a substância do Manual, copilado e abbreviado por hum religioso frade Menor, da ordem de S. Francisco da Província da Piedade.* Lisboa, por António Barreira, 1579.

RESENDE, Garcia de. *Breve memorial dos pecados e cousas que pertençem ha confissan hordenado.* Por Garcia de Resende, fidalgo da casa del-Rei nosso senhor. Lisboa, 1545.

IV. Fontes Primárias Diversas

ANAIS da Biblioteca Nacional do Rio de Janeiro. v. XLIX.

ANCHIETA, José de. *Fragmentos Históricos (1584-1586).* Rio de Janeiro: Imprensa Nacional, 1886.

APOSTOLADO Veritatis Splendor. *Documentos do Concílio Ecumênico de Trento.* 1º Período (1545-1547): Bula Convocatória do Concílio; Sessão I a X. Direção de Carlos Martins Nabeto e tradução de Dercio Antonio Paganini. Disponível em http://www.veritatis.com.br. Acesso em 09/04/2007.

_____. *Documentos do Concílio Ecumênico de Trento*. 2º Período (1551-1552): Bula de Reinstalação do Concílio; Sessão XI a XVI. Direção de Carlos Martins Nabeto e tradução de Dercio Antonio Paganini. Disponível em http://www.veritatis.com. br. Acesso em 09/04/2007.

_____. *Documentos do Concílio Ecumênico de Trento*. 3º Período (1562): Bula de Reinstalação do Concílio; Sessão XVII a XXV; Finalização do Concílio; Admoestações aos Padres; Confirmação do Concílio; Apêndices. Direção de Carlos Martins Nabeto e tradução de Dercio Antonio Paganini. Disponível em http://www.veritatis.com.br. Acesso em 09/04/2007.

AQUINO, Tomás de. *Suma Teológica*. Tomo III. São Paulo: Edições Loyola, 2003.

CONSTITUÇONES Primeyras do Arcebispado da Bahia. Feytas e ordenadas pelo illustríssimo e reverendíssimo senhor d. Sebastião Monteiro da Vide, arcebispo do dito arcebispado, do Conselho de Sua Majestade, proposta e aceytas em Sínodo Diocesano que o dito senhor celebrou em 12 de junho de 1707. Lisboa Occidental: Officina de Pascoal da Sylva, impressor de Sua Majestade, MDCCXIX.

DELLON, Charles. *Relation de l'Inquisition de Goa*. Paris: chez Daniel Horthemels, MCDLXXXVIII.

INÁCIO, Inês Conceição; LUCA, Tânia Regina de (orgs.). *Documentos do Brasil Colonial*. São Paulo: Ática, 1993.

LAPA, José Roberto do Amaral (org.). *Livro da Visitação do Santo Ofício da Inquisição ao Estado do Grão-Pará (1763-1769)*. Petrópolis: Vozes, 1978.

LARA, Sílvia Hunold (org.). *Ordenações Filipinas*: Livro V. São Paulo: Companhia das letras, 1999.

LEITE, Serafim S.J (org.). *Cartas do Brasil e mais escritos do Padre Manuel da Nóbrega*. Acta Universitatis Conimbrigensis. Coimbra: Universidade de Coimbra, 1955.

_____(org.). *Novas cartas jesuíticas (de Nóbrega a Vieira)*. São Paulo: Companhia Editora Nacional, 1940.

NÓBREGA, Manoel da. *Cartas do Brasil, 1549-1560*. Belo Horizonte: Itatiaia; São Paulo: Editora da Universidade de São Paulo, 1988.

ORDENAÇÕES Filipinas de 1603: Livro V. Mário de Almeida Costa (Nota de apresentação), edição fac-símile da edição feita por Cândido Mendes de Almeida, Rio de Janeiro, 1870. Lisboa: Fundação Calouste Gulbenkian.

PRIMEIRA Visitação do Santo Ofício às partes do Brasil pelo licenciado Heitor Furtado de Mendonça. *Confissões da Bahia*: 1591-1592. Prefácio de Capistrano de Abreu. Rio de Janeiro: F. Briguiet, 1935.

_____ Visitação do Santo Ofício às partes do Brasil pelo licenciado Heitor Furtado de Mendonça. *Denunciações de Pernambuco*: 1593-1595. Introdução de Rodolfo Garcia. São Paulo: Paulo Prado, 1929.

_____ Visitação do Santo Ofício às partes do Brasil pelo licenciado Heitor Furtado de Mendonça. *Denunciações da Bahia*: 1591-1593. Introdução de Capistrano de Abreu. São Paulo: Paulo Prado, 1925.

REGIMENTO do Santo Ofício da Inquisição dos reynos de Portugal recompilados por mandado do ilustríssimo e reverendíssimo senhor d. Pedro de Castilho, bispo e inquisidor-geral e visorey dos reynos de Portugal. Impresso na Inquisição de Lisboa por Pedro Grasbeeck, ano da encarnação do Senhor de 1613. (Microfilme da Biblioteca Nacional de Lisboa, Sala Geral).

SALA-MOLINS, Louis (dir.). *Le Dictionnaire des inquisiteurs (Valence, 1494)*. Paris: Galilée, 1981.

_____ (dir.). *Le Manuel des inquisiteurs de Nicolau Eymerich et Francisco Peña (Avignon, 1376; e Roma, 1578)*. Paris: Mouton, 1973.

SEGUNDA Visitação do Santo Ofício às partes do Brasil. *Denunciações da Bahia*: 1618. Introdução de Rodolfo Garcia. Anais da Biblioteca Nacional do Rio de Janeiro, v. 49, 1927.

SEQUEIRA, Angelo da. *Penitente Arrependido*. Porto: Oficina de Francisco M. Lima, 1759.

VAINFAS, Ronaldo (org.). *Confissões da Bahia*: Santo Ofício da Inquisição de Lisboa. São Paulo: Companhia das Letras, 1997.

Referências

ABREU, J. Capistrano de. *Capítulos de história colonial*. Brasília: Senado Federal, Conselho Editorial, 2006.

ALMEIDA, Angela Mendes de. *O gosto do pecado*: casamento e sexualidade nos manuais de confessores dos séculos XVI e XVII. Rio de Janeiro: Rocco, 1992.

ALMEIDA, Suely Creusa Cordeiro de. *Os religiosos e as mulheres*: um olhar sobre as famílias constituídas por clérigos. Trabalho apresentado na VII Jornada Setecentista, Curitiba, 2007.

AMADO, Janaína; FIGUEIREDO, Luiz Carlos. *O Brasil no Império português*. Rio de Janeiro: Jorge Zahar, 2001.

AZEVEDO, João Lúcio de. *Os Jesuítas no Grão-Pará*: suas missões e a colonização. Coimbra: Imprensa da Universidade, 1930.

AZZI, Riolando. *A cristandade colonial*: um projeto autoritário. São Paulo: Paulinas, 1987.

BAKHTIN, Mikhail. *A cultura popular na Idade Média e no Renascimento*: o contexto de François Rabelais. São Paulo: Hucitec, 1987.

BARRETO, Luís Filipe. *Os descobrimentos e a ordem do saber*: uma análise sociocultural. Lisboa: Gradiva, 1987.

BELMAS, Elisabeth. La montée des blasphèmes à l'Age Moderne – du Moyen Age au XVIIe siècle. *In*: MUCHEMBLED, Robert (dir.). *Mentalités*. Histoire des cultures et des sociétés. Injures et blasphèmes. Paris: Éditions Imago, 1989.

BENASSAR, Bartolomé. Dos mundos fechados à abertura do mundo. *In*: NOVAES, Adauto (org.). *A descoberta do homem e do mundo*. São Paulo: Funarte/Companhia das Letras, 1998.

BENVENISTE, E. *Problemas de lingüística geral*. v. 1. São Paulo: EDUSP, 1976.

BETHENCOURT, Francisco. *História das Inquisições*: Portugal, Espanha e Itália – séculos XV-XIX. São Paulo: Companhia das Letras, 2000.

_____. Inquisição: a multinacional da tortura. *Judaica*. nº 40. Agosto/2000. Entrevista. Disponível em http://www.judaica.com.br/materias/040_03a06.htm. Acesso em 10/07/2009.

BETTENCOURT, Estevão OSB. Comentários sobre o Simpósio Internacional sobre a temática da Inquisição, realizado em Roma de 29 a 31 de outubro de 1998. *Revista Pergunte e Responderemos Online*. n. 523, 2006. Disponível em http://pr.veritatis.com.br/. Acesso em 29/08/2009.

BÍBLIA. N. T. Jo. Português. *Bíblia Sagrada*. 126ª ed. São Paulo: AVE-MARIA Edições, 1999.

BIGET, Jean-Louis. L'inquisition en Languedoc (1229-1329). *In*: BORROMEU, Agostino (a curi di). *L'Inquisizione*. Atti del Simposio internazionale (Città del Vaticano, 29-31 ottobre 1998). Vaticano: Biblioteca Apostólica Vaticana, 2003.

BOSI, Alfredo. *Dialética da colonização*. São Paulo: Companhia das Letras, 1992.

BOXER, Charles R. *A Igreja militante e a expansão ibérica*: 1440-1770. São Paulo: Companhia das Letras, 2007.

_____. *O império marítimo português (1415-1825)*. Lisboa: Edições 70, 1981.

CABANTOUS, Alain. *Histoire du blasphème en Occident*. Paris: Albin Michel, 1998.

CAETANO, Marcello. *História do Direito Português (1140-1495)*. Lisboa/São Paulo: Editorial Verbo, 1985.

CAMPOS, Pedro Moacyr. As instituições coloniais: antecedentes portugueses. *In*: HOLANDA, Sérgio Buarque de (dir.). *História Geral da Civilização Brasileira*. A época colonial: do descobrimento à expansão territorial. v. I. Tomo I. 16 ed. Rio de Janeiro: Bertrand Brasil, 2008.

CARDOSO, Ciro Flamarion; VAINFAS, Ronaldo (orgs.). *Domínios da História*: ensaios de teoria e metodologia. Rio de Janeiro: Campus, 1997.

CARVALHO, Laerte Ramos de. *As Reformas Pombalinas da Instrução Pública*. São Paulo: Saraiva; Editora da Universidade de São Paulo, 1978.

CASTELO-BRANCO, Fernando. *Lisboa seicentista*. Lisboa: Livros horizontes, 1990.

CHARTIER, Roger. À *beira da falésia*. A história entre incertezas e inquietudes. Porto Alegre: Editora da UFRGS, 2002.

CHEVALIER, Jean; GHEERBRANT, Alain. *Dictionnaire des symboles*. Paris: Robert Laffont/Jupiter, 1982.

COATES, Timothy J. *Degredados e órfãs*: colonização dirigida pela Coroa no império português, 1550-1755. Lisboa: CNCDP, 1998.

COELHO, Antônio Borges. *Inquisição de Évora*: dos primordios à 1668. v. I. Lisboa: Editorial Caminho, 1987.

CONCÍLIO Vaticano II. Constituição Dogmática *Dei Verbum* sobre a revelação divina. *In*: _____. *Documentos do Concílio Ecumênico Vaticano II (1962-1965)*. São Paulo: Paulus, 1997.

COUTO, Jorge. *A construção do Brasil*: ameríndios, portugueses e africanos, do início do povoamento a finais de quinhentos. Lisboa: Edições Cosmos, 1998.

CUNHA, Manoela Carneiro da (org.). *História dos índios no Brasil*. 2ª ed. São Paulo: Companhia das Letras, 1998.

DELLON, Charles. *Relation de l'Inquisition de Goa*. Paris: chez Daniel Horthemels, MCDLXXXVIII.

_____. *A civilização do Renascimento*. v. I e II. Lisboa: Editorial Estampa, 1994.

_____. *De religiões e de homens*. São Paulo: Edições Loyola, 2000.

_____. *L'aveu et le pardon*. Les difficultés de la confession, XIIIe-XVIIIe siècle. Paris: Arthème Fayard, 1992.

DELUMEAU, Jean. *La Reforma*. Barcelona: Labor, 1967.

_____. *Le péché et la peur*. La culpabilisation en Occident (XIIe-XVIIIe siècles). Paris: Arthème Fayard, 1983.

_____. *O pecado e o medo*: a culpabilização no Ocidente (séculos 13-18). v. I e II. Bauru: EDUSC, 2003.

_____. Présentation. *In*: MUCHEMBLED, Robert (dir.). *Mentalités*. Histoire des cultures et des sociétés. Injures et blasphèmes. Paris: Éditions Imago, 1989.

_____. Un Chemin d'Histoire, Chrétienté et Christianisation. *In*: THOMAS, Keith (org.). *Religião e Declínio da Magia*. São Paulo: Companhia das Letras, 1991.

_____. *Un Chemin d'Histoire*. Paris: Fayard, 1981.

DIAS, José Sebastião da Silva. Os descobrimentos e a problemática cultural do século XVI. 3 ed. Lisboa: Editorial Presença, 1988.

DIDIEU, Jean-Pierre. Le modèle religieux: Les disciplines du language et de l'action. *In*: BENNASSAR, Bartolomé (org.). *L'Inquisition Espagnole*. Paris: Marabout-Hachette, 1979.

DUPRONT, Alphonse. A religião: antropologia religiosa. *In*: LE GOFF, Jacques; NORA, Pierre (dir.). *História*: novas abordagens. Rio de Janeiro: F. Alves, 1976.

ELIADE, Mircea. *O Sagrado e o Profano*: a essência das religiões. São Paulo: Martins Fontes, 1996.

ESCAMILLA-COLIN, Michèle. *Crimes et chatiments dans l'Espagne Inquisitoriale*. Tome 2. Paris: Berg International, 1992.

FIGUEIREDO, Fernando Antonio. *Curso de Teologia Patrística I*: a vida da igreja primitiva, século I e II. Petrópolis: Vozes, 1983.

FRANCO, José Eduardo; TAVARES, Célia Cristina. *Jesuítas e Inquisição*: cumplicidades e confrontações. Rio de Janeiro: EdUERJ, 2007.

FRASER, Christian. Vaticano cria curso para 'atualizar' padres em confissões. *BBCBrasil.com*. 06/03/2008. Disponível em http://www.bbc.co.uk/portuguese/reporterbbc/story/2008/03/080306_vaticanocursofn.shtml. Acesso em 07/03/2008.

FREITAS, Marcos Cezar de (org.). *Historiografia brasileira em perspectiva*. São Paulo: Contexto, 1998.

FRIES, H. (dir.). *Encyclopédie de la foi*. Tomo III. Paris: Cerf, 1966.

GARDINER, Patrick. *Teorias da História*. 5 ed. Lisboa: Fundação Calouste Gulbenkian, 2004.

GINZBURG, Carlo. *O queijo e os vermes*: o cotidiano e as idéias de um moleiro perseguido pela Inquisição. São Paulo: Companhia das Letras, 1987.

_____. *Relações de força*: história, retórica, prova. São Paulo: Companhia das Letras, 2002.

GIUCCI, Guilhermo. *Sem fé, lei ou rei*: Brasil 1500-1532. Rio de Janeiro: Rocco, 1993.

GORENSTEIN, Lina. A terceira visitação do Santo Ofício às partes do Brasil (século XVII). *In*: VAINFAS, Ronaldo; FEITLER, Bruno; LAGE, Lana (org.). *A Inquisição em xeque*: temas, controvérsias, estudos de casos. Rio de Janeiro: EDUERJ, 2006.

GRILLO, A. *Indulgência*. História e Significado. São Paulo: Paulus, 1999.

HERMANN, C; MARCADÉ, J. *La Péninsule Ibérique au XVIIe siècle*. Paris: Sedes , 1989.

HOORNAERT, Eduardo, et al. *História da Igreja no Brasil*: ensaio de interpretação a partir do povo. Primeira época. Tomo II/1. 3 ed. Petrópolis: Vozes, 1983.

JULIA. Dominique. A religião: história religiosa. *In*: LE GOFF, Jacques; NORA, Pierre (dir.). *História*: novas abordagens. Rio de Janeiro: F. Alves, 1976.

KANTOROWICZ, Ernest. *Os dois corpos do rei*: um estudo sobre teologia política medieval. São Paulo: Companhia das Letras, 1998.

LAMEGO, Alberto. *Terra Goitacá*. Livro I. Bahia: [s.n.], 1913.

LE GOFF, Jacques. *O maravilhoso e o quotidiano no Ocidente Medieval*. Lisboa: Edições 70, 1985.

LEFRANC, Marie-Geneviève. *Mémoire sur les blasphèmes et les blasphémateurs dans le Royaume de Valence aux XVIe et XVIIe siècle*. Paris, Bibliothèque de l'Université Paris IV/Sorbonne (tese de doutoramento), 1982

LEITE, Serafim S. J. *História da Companhia de Jesus no Brasil*. Tomo I e II. Livro I. Lisboa: Livraria Portugália; Rio de Janeiro: Civilização Brasileira, 1938.

LIMA, Lana Lage da Gama. Aprisionando o desejo. *In*: VAINFAS, Ronaldo (org.). *História da sexualidade no Brasil*. Rio de Janeiro: Graal, 1986.

_____. Confissão e controle social na Idade Média e nos Tempos Modernos: uma visão comparativa. *In: Anais do XI Encontro Regional de História da Associação Nacional de História*

(Rio de Janeiro, 2004). Disponível em http://www.rj.anpuh.org/ Anais/2004/indice2004.htm. Acesso em 29/08/2009.

_____. Guardiões da Penitência: o Santo Ofício português e a punição dos solicitantes. *In*: NOVINSKY, Anita; CARNEIRO, Maria Luiza Tucci (orgs.). *Inquisição*: ensaios sobre mentalidades, heresias e arte. Rio de Janeiro: Expressão e Cultura; São Paulo: Edusp, 1992.

LIMA, Luís Filipe Silvério. *O império dos sonhos*: narrativas proféticas, sebastianismo e messianismo brigantino. Tese (Doutorado em História) – Departamento de História da Faculdade de Filosofia, Letras e Ciências Humanas – Universidade de São Paulo, São Paulo, 2005.

MARCADÉ, J.; HERMANN, C. *La Péninsule Ibérique ao XVIIe siècle*. Paris: Sedes, 1989.

MARQUES, A. H. Oliveira. *Histoire du Portugal des origines à nos jours*. Paris: [s.n.], 1978.

MATTOSO, José (dir.). *História de Portugal*. No alvorecer da Modernidade (1480-1620). v. III. Lisboa: Editorial Estampa, 1997.

MURAKAWA, Clotilde de Almeida Azevedo. *Inquisição portuguesa*: vocabulário do direito penal substantivo e adjetivo. Tese (Doutorado em Língua Portuguesa). Faculdade de Ciências e Letras, Universidade Estadual Paulista Julio de Mesquita Filho, Araraquara, 1991.

_____. *Os Regimentos da Inquisição portuguesa*: um estudo do vocábulo. *Revista Antropológica*: cultura judaica no tempo e no espaço. Pernambuco, ano IV, v. 10, 1999. Disponível em http://www.fclar.unesp.br/centrosdeestudos/ojudeu/processo. html. Acesso em 29/08/2009.

NAZÁRIO, Luiz. Julgamento em chamas: Autos de fé como espetáculos de massa. *In*: NOVINSKY, Anita. *Inquisição*: ensaios sobre mentalidades, heresias e arte. São Paulo: Edusp, 1987.

NEVES, Luiz Felipe Baêta. *O combate dos soldados de Cristo na terra dos papagaios*: colonialismo e repressão cultural. Rio de Janeiro: Forense Universitária, 1978.

NIZZA DA SILVA, Maria Beatriz. "Bigamias e seduzidas em Portugal e no Brasil" Revista *Faces de Eva. Estudos sobre a Mulher.* (1-2), Lisboa: Universidade Nova de Lisboa, 1999.

NOVINSKY, Anita. A Igreja no Brasil colonial: agentes da Inquisição. *Anais do Museu Paulista*. São Paulo: USP, 1984.

_____. *A Inquisição*. São Paulo: Brasiliense, 1996.

OMEGNA, Nelson. *A diabolização dos judeus*: martírio e presença dos sefardins no Brasil Colonial. Rio de Janeiro: Record, 1969.

PANTOJA, Selma Alves. Inquisição, degredo e mestiçagem em Angola no século XVIII. *Revista Portuguesa de Ciência das Religiões*. Lisboa, v. 1, n. 5, 2005.

PAULO II, João. *Catecismo da Igreja Católica*: Edição Típica Vaticana. São Paulo: Edições Loyola, 2000.

_____. *Código de Direito Canônico*. 17 ed. São Paulo: Edições Loyola, 2008.

PEREIRA, José da Costa (coord.). *Dicionário Ilustrado da História de Portugal.* v. II. Lisboa: Publicação Alfa, 1985.

PIERONI, Geraldo. *Os excluídos do Reino*: a Inquisição portuguesa e o degredo para o Brasil Colônia. Brasília: Editora da Universidade de Brasília; São Paulo: Imprensa Oficial do Estado, 2000.

_____. *Vadios e Ciganos, Heréticos e Bruxas*: os degredados no Brasil-colônia. Rio de Janeiro: Editora Bertrand Brasil, 2000.

_____; DeNIPOTI, Cláudio (orgs.). *Saberes brasileiros*: ensaios sobre identidades, séculos XVI a XX. Rio de Janeiro: Bertrand Brasil, 2004.

_____ (org.); PALAZZO, Carmen Lícia; SABEH, Luiz Antonio. *Entre Deus e o diabo*: santidade reconhecida, santidade negada na Idade Média e Inquisição portuguesa. Rio de Janeiro: Bertrand Brasil, 2007.

_____ (org.). *Heresias brasílicas*: Inquisição e purgatório no Brasil Colonial. Curitiba: UTP, 2008.

PRADO, Almeida. *A Bahia e as Capitanias do Centro do Brasil.* São Paulo: Companhia Editora Nacional, 1945.

QUEIRÓS, Eça de. *O crime do padre Amaro*. Rio de Janeiro: Ed. Ouro, [s.d.].

QUINTÃO, Antonia Aparecida. *Lá vem o meu parente*: as irmandades de pretos e pardos no Rio de Janeiro e em Pernambuco (século XVIII). São Paulo: FAPESP, 2002.

RABELAIS, François (1490-1553). *Gargântua e Pantagruel.* Tradução de David Jardim Júnior. Belo Horizonte: Itatiaia, 2003.

RICHARD, Jean. *Saint Louis, le justicier sans faiblesse*. Paris: Arthème Fayard, 1983.

ROTERDÁ, Erasmo (1465-1536). *Elogio da Loucura*. 8 ed. São Paulo: Atena, 1959.

SABEH, Luiz Antonio. *Colonização salvífica*: os jesuítas e a Coroa portuguesa na construção do Brasil (século XVI). Dissertação (Mestrado em História). Programa de Pós-Graduação em História, Universidade Federal do Paraná, Curitiba, 2009.

SALGADO, Graça. *Fiscais e Meirinhos*: a administração no Brasil Colônia. São Paulo: Ed. Nova Fronteira, 1992.

SAMPAIO, Teodoro. *História da fundação da cidade do Salvador*. Bahia: Tipografia Beneditina, 1949.

SCHWARTZ, Stuart. *Cada um na sua lei*: tolerância religiosa e salvação no mundo atlântico ibérico. São Paulo: Companhia das Letras; Bauru: Edusc, 2009.

SERRÃO, Joel (org.). *Dicionário da História de Portugal*. Mem Martins: Europa-América, 1991.

_____ (org.). *Dicionário da História de Portugal*. v. VI. Porto: Livraria Figueirinhas, [s.d.].

SESBOÜÉ, Bernard S.J. (dir.). *História dos dogmas*: o homem e sua salvação. Tomo 2. São Paulo: Edições Loyola, 2003.

_____ (dir.). *História dos dogmas*: os sinais da salvação. Tomo 3. São Paulo: Edições Loyola, 2005.

SILVA, Maria B. N. da (dir.). *Dicionário da história da colonização portuguesa no Brasil.* Lisboa: Editorial Verbo, 1994.

SIMMEL, George. *Secret et sociétés secrètes.* Strabourg: Circé, 1991.

SIQUEIRA, SÔNIA A. *A Inquisição portuguesa e a sociedade colonial.* São Paulo: Ática, 1978.

SOUZA, Laura de Mello e. *O diabo e a Terra de Santa Cruz*: feitiçaria e religiosidade no Brasil colonial. São Paulo: Companhia das Letras, 1986.

_____. *O Inferno Atlântico*: demonologia e colonização – Séculos XVI-XVIII. São Paulo: Companhia das Letras, 1993.

_____. *O sol e a sombra*: política e administração na América portuguesa do século XVIII. São Paulo: Companhia das Letras, 2006.

TAVARES, Célia Cristina da Silva. *Jesuítas e inquisidores em Goa*: a cristandade insular (1540-1682). Lisboa: Roma Editora, 2004.

THÉO. *Nouvelle encyclopédie catholique.* Paris: Droguet-Ardent/ Arthème Fayard, 1989.

TREVOR-ROPER, Hugh R. A fobia às bruxas na Europa. *Religião e Sociedade.* Rio de Janeiro, n. 12/2, outubro 1985.

VAINFAS, Ronaldo. *A heresia dos índios*: catolicismo e rebeldia no Brasil colonial. São Paulo: Companhia das letras, 1995.

_____. A problemática das mentalidades e a Inquisição no Brasil colonial. *Revista de Estudos históricos.* Rio de Janeiro, v. 1, 1988.

_____. *Trópico dos pecados*: moral, sexualidade e Inquisição no Brasil. Rio de Janeiro: Nova Fronteira, 1997.

_____ (dir.). *Dicionário do Brasil Colonial (1500-1808)*. Rio de Janeiro: Objetiva, 2000.

WEBER, Max. Religião. *In*: _____. *Ensaios de sociologia*. Rio de Janeiro: Zahar Editores, 1963.

WHELING, Arno; WEHLING, Maria José C. M. *Formação do Brasil Colônia*. Rio de Janeiro: Nova Fronteira, 1999.

WRIGHT, Jonathan. *Os jesuítas*: missões, mitos e história. Rio de Janeiro: Ediouro, 2006.

Autores

Geraldo Pieroni, doutor em História pela Université Paris-Sorbonne, professor no curso de História (licenciatura e bacharelado) e no Mestrado Interdisciplinar em Ciências Humanas Cultura e Sociedade: diálogos interdisciplinares da Universidade Tuiuti do Paraná.

Luiz Sabeh, licenciado em História pela Universidade Tuiuti do Paraná, mestre em História pela Universidade Federal do Paraná, doutorando em História pela UFPR.

Alexandre Martins, licenciado em História pela Universidade Tuiuti do Paraná; em Filosofia pela Faculdade Bagozzi, pós-graduado em Filosofia pela PUC-PR, mestrando em Filosofia pela Pontifícia Universidade Católica do Paraná

Livros publicados por Geraldo Pieroni

PIERONI, G. M. (org.); Grupo Estudos Inquisição e Exclusão. Heresias Brasílicas: Inquisição e Purgatório no Brasil colonial. Curitiba: UTP, 2008.

PIERONI, G. M. (org.); Carmen Lícia Palazzo; Luis Antonio Sabeh. Entre Deus e o Diabo: santidade reconhecida, santidade negada na Idade Média e Inquisição portuguesa. Rio de Janeiro: Bertrand Brasil, 2007.

PIERONI, G. M. Vadios e ciganos, heréticos e bruxas (terceira edição). Rio de Janeiro: Bertrand Brasil, 2006.

PIERONI, G. M.; DENIPOTI, Cláudio (org.). Saberes Brasileiros. Rio de Janeiro: Bertrand Brasil, 2004.

PIERONI, G. M. Banidos: a Inquisição e a lista dos cristãos-novos condenados a viver no Brasil. Rio de Janeiro: Bertrand Brasil, 2003.

PIERONI, G. M. ; COATES, T. De couto do pecado à vila do sal:Castro Marim 1550-1850. Lisboa: Sá da Costa Editora, 2002.

PIERONI, G. M. . Os Excluídos do Reino. Brasília: Universidade de Brasília, 2000.

PIERONI, G. M.; VIANNA, M. Os degredados na colonização do Brasil. Brasília: Thesaurus, 1999.

Título	Boca Maldita:
	Blasfêmias e sacrilégios em Portugal e no
	Brasil nos tempos da Inquisição
Autor	Geraldo Pieroni (org.)
Coordenação Editorial	Elisa Santoro
Capa e Projeto Gráfico	Matheus de Alexandro
Preparação	Kátia Ayache
Revisão	Vinícius Whitehead Merli
Formato	14 x 21 cm
Número de Páginas	160
Tipografia	Adobe Gramond Pro
Papel	Alta Alvura Alcalino 75g/m²
Impressão	PSI7
1ª Edição	Janeiro de 2012

Caro Leitor,

Esperamos que esta obra tenha
correspondido às suas expectativas.

Compartilhe conosco suas dúvidas
e sugestões escrevendo para:

autor@pacoeditorial.com.br

Compre outros títulos em

WWW.LIVRARIADAPACO.COM.BR

PACO ρ EDITORIAL

Rua 23 de Maio, 550
Vianelo - Jundiaí-SP - 13207-070
11 4521-6315 | 2449-0740
contato@editorialpaco.com.br